本物のような色鉛筆の美しいぬり絵

川崎由季恵

PHP

本物のような
色鉛筆の
美しいぬり絵

川崎由季恵

PHP

はじめに

あなたは美しく立体的で、まるでそこに本物があるかのような絵を描いてみたいと思ったことはありませんか？

実物をリアルな絵に描くということは、簡単なようでかなりハードルが高いものです。

そのような絵を描くことができるのは、一部の高度な技術を持った人のみとあきらめてしまう人が多いかと思いますが、本書は、そのハードルを簡単に飛び越え、誰もが描けるようになる「ぬり絵」の本です。

果物や野菜の瑞々（みずみず）しいツヤ、ガラスの透明感など、いろいろな物の質感の表現は、色のぬり方を工夫することで、レベルアップを目指せます。

それでもやはり見たものをデッサンして着色して……と手順を踏むのは大変です。

しかし、下絵は前もって描いてありますので、ぬり絵のお手本を見ながらぬり進めるうちにコツがつかめてくるでしょう。

初めての方や絵が苦手という方でもつまずくことなく、ぬり絵感覚で楽しみながら描くことができます。

使う色鉛筆は、誰もが子どもの頃から一度は使ったことのある慣れ親しんだ画材です。

色鉛筆の特徴は、色数のバリエーションも多く発色が鮮やかで、ぬり重ねても色の純度が生かされ美しい色調が魅力です。

色とりどりの色鉛筆は、見ているだけでも美しくワクワクする画材です。

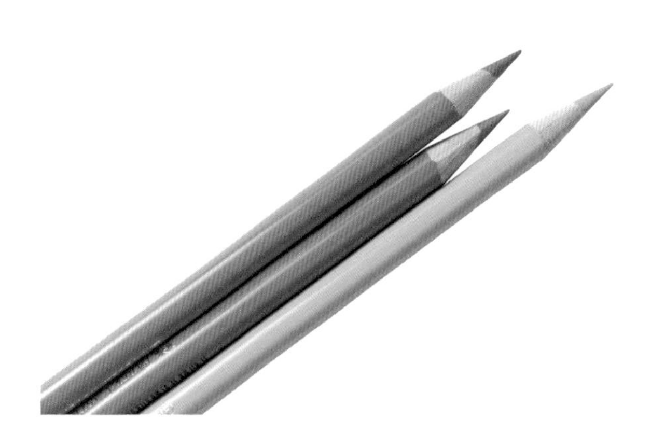

本書には、身近にある美しいお花や小物、食べ物などのモチーフをデッサンした下絵が掲載されていますので、お手本に沿ってぬるだけで、アート感覚を手軽に楽しめます。

ぬりやすい用紙を使っていますので、そのままぬってお使いいただいたり、コピーをして何度も練習することもできます。

時にはちょっと背伸びをして、ワンランク上のぬり絵に挑戦してみませんか？

アートなぬり絵で、楽しいひと時を過ごしていただければ幸いです。

川崎由季恵

本物のような色鉛筆の美しいぬり絵
目次

野菜や果実をぬる

花をぬる

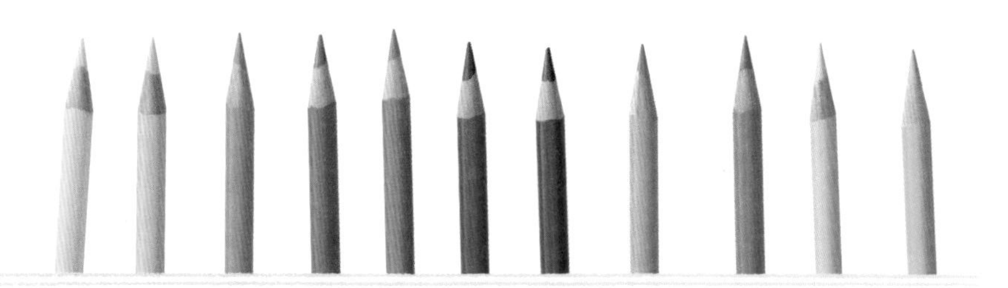

いろいろな質感をぬる

身近な食べ物をぬる

違う質感のモチーフを複数ぬる

使用する色鉛筆について

- 色鉛筆は、何色入りのものでも構いませんが、色数が多いと、よりリアルにぬることができます。
- 油性色鉛筆（何も書いていないものは油性です）と水彩色鉛筆がありますが、油性色鉛筆をお使いいただくとよいでしょう。
- 色鉛筆はメーカーによりワックスの調子が違います。ここに掲載している色味はあくまで参考です。まったく同じ色でなくてもお手持ちの色鉛筆の近い色でぬってください。
- 一本一本バラで購入することができるメーカーもあります。複数のメーカーの色鉛筆を使っても楽しめます。
- 色鉛筆は、カッターを使って削るとよいでしょう。木も芯も、文字を書くときよりも長めにし、芯を細く尖らせるのがポイントです。
- 芯を細く尖らせることにより、色鉛筆を寝かせて描いたり、色鉛筆を立てて繊細な線を引くことができます。

色のミニ事典

※掲載している色は、メーカーによっては別の名称で取り扱っていることがあります。手元に似たような色があればそれを使います。同じ色がなくても混色することで再現が可能です。

クリーム色
フランスでも13世紀から使われている、淡い黄みの白の色調を表す色。

アップルグリーン色
英語の色名ではグリーンの代表として知られる青りんごを表す色。

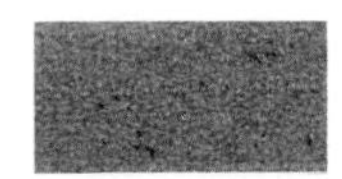

常盤（ときわ）色
松や杉などの常緑樹のような、変わることのない深い緑（エバーグリーン）を表す色。

ラヴェンダー色
ラヴェンダーの花のような明るい紫色。ラテン語で洗うことを意味するラヴァレ、青みを表すリヴェレなどに由来。

すみれ色
英語のヴァイオレットの訳語として青紫色に使われるように。日本の近代文学者たちに人気の色だった。

ウルトラマリンブルー色
瑠璃という宝石が海を渡ってきたということにちなんで名づけられた色。

ローズピンク色
花の名からとられた色名では最も古くから存在する色。

ゼラニウム色
ゼラニウムの花のような鮮やかな赤色を表す色。

テラコッタ色
イタリア語で素焼きの赤土焼きを表す色。

バーンドアンバー色
土を焼いて暗褐色にしたものを示す言葉。画家のパレットでは昔からよく使われている。

シルバーグレー色
金属のようなクールな色味のグレー。

スレートグレー色
石板のようなくすんだ灰褐色。固有色のトーンを落とすのに便利な色。

筆圧は一定にするのがポイント

色鉛筆でグラデーションにしたり、広い面を均一にぬるには、筆圧の加減がポイントです。

NGの例

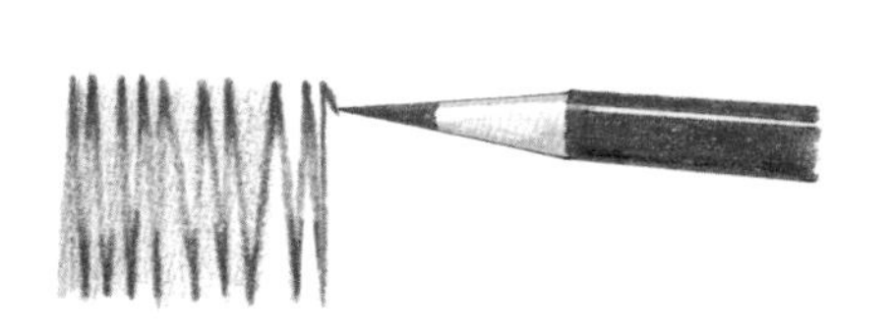

初心者の方がきれいにぬるには、往復するぬり方はムラになりやすくぬりにくいので、慣れるまで控えましょう。

OKの例　基本のハッチング

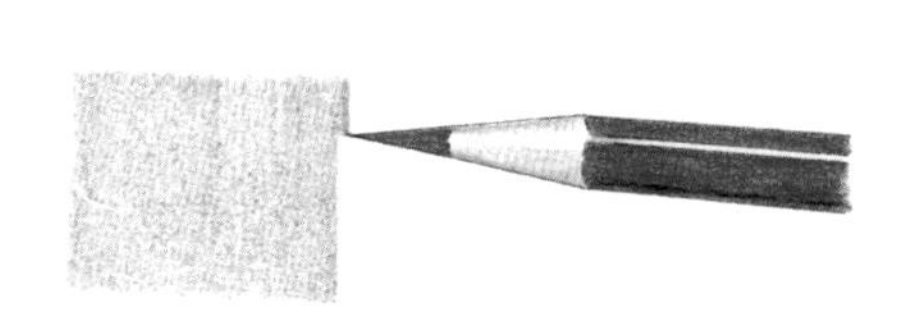

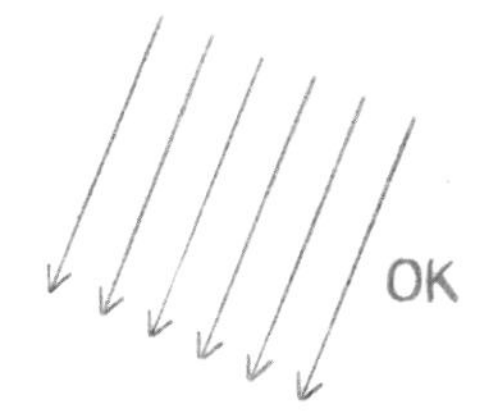

色をぬる際には、一定方向に色鉛筆を動かします。面を意識してぬることがポイントです。

応用　クロスハッチング

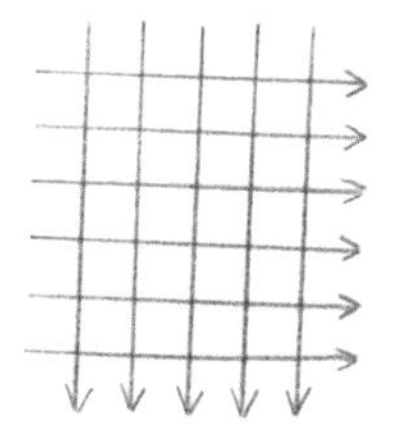

クロスハッチングという技法です。線の密度を調節して濃淡を表現することができます。P10で練習してみましょう。

色鉛筆を立てて持つ場合は、シャープな線が表現できます。
寝かせて持つ場合は、ソフトなタッチが表現できます。
材質の違いを表現するには、硬いものはシャープなタッチで、柔らかいものはソフトなタッチで描きましょう。

色の相環と立体感について知りましょう

色相環について

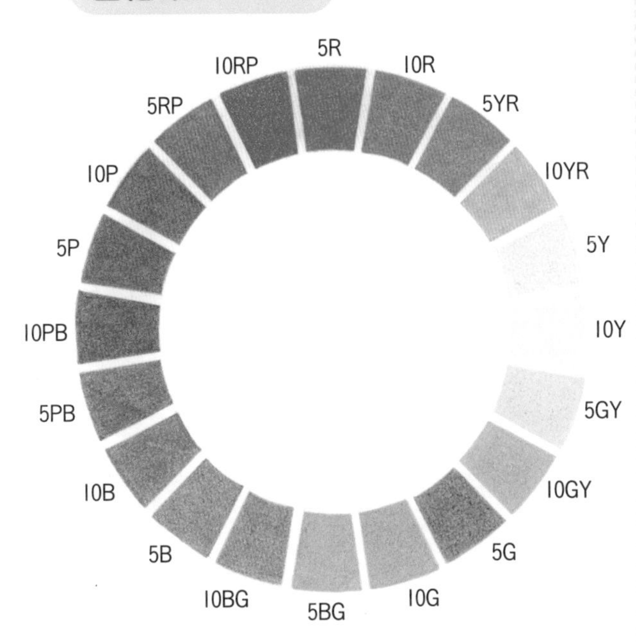

色の相環とは、色の3原色「赤（R）」「黄（Y）」「青（B）」をそれぞれ混ぜた色の「オレンジ」（赤×黄）「緑（G）」（黄×青）「紫（P）」（青×赤）、さらに隣の色を混ぜてできる色を表現したものです。隣り合う似たような色を「類似色」といいますが、この「類似色」どうしをなじませると、色の深みを表現することができます。左の図は「マンセルの色相環」と呼ばれるもので、色を「色相」「明度」「彩度」の3属性でとらえ、「色相・明度/彩度」というマンセル記号で表しています（本書では明度／彩度は省略）。

立体感について

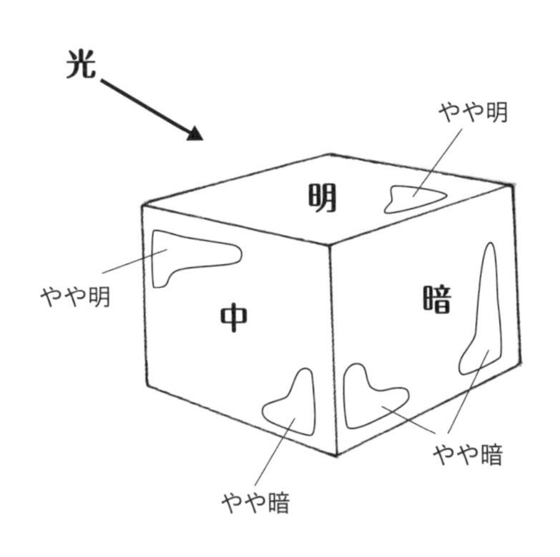

ものに光が当たると明から暗までの様々な階調を見ることができます。

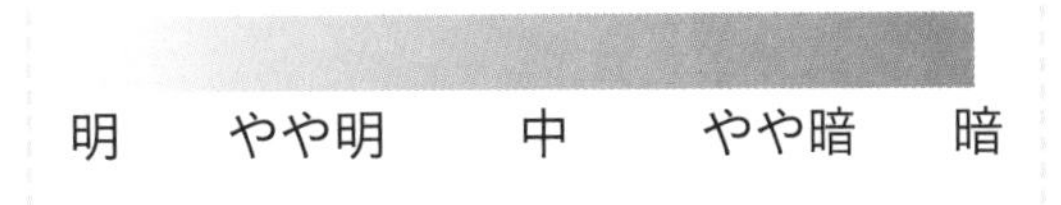

描き出しの段階から、どの部分を光の当たった明るい面にするかを決めておきましょう。

筆圧をコントロールしてぬってみましょう

すべてP8で紹介したクロスハッチングでぬってみましょう。

筆圧レベル1

軽く、均一に色鉛筆の先が紙に触れるように。

筆圧レベル2

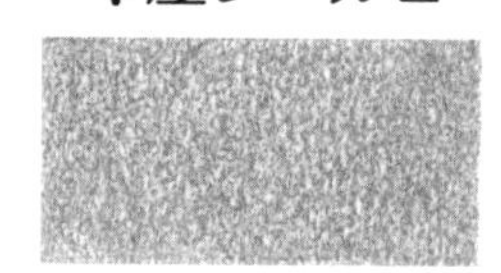

レベル1よりやや強めに、色鉛筆は立てずにぬる。

筆圧レベル3

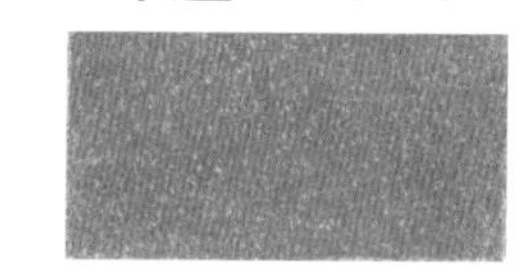

色鉛筆を立てて持ち、線を一定方向に均一間隔に描き、交差させて同じ作業を行う。

★上の例のように、様々な色で、ぬってみましょう。

筆圧レベル1	筆圧レベル2	筆圧レベル3

野菜や果実をぬる

気をつけるポイント

光の当たるところは白く残して瑞々しさを演出しましょう。

柔らかいものは柔らかく、硬いものは硬く表現しましょう。

果実は色を重ねることで、味わい深い立体感を出しましょう。

さくらんぼ
光の方向を意識して、小さな球体を陰影をつけてぬってみましょう。

とうがらし
濃い色の部分はすき間なく色をのせていきましょう。

キウイ
瑞々しい実の切り口と皮の産毛（うぶげ）の質感をぬり分けましょう。

パプリカ
大きな面積は特にていねいにすき間なくしっかりぬりましょう。

ぶどう
実の光と影を表現しましょう。

もういちどぬってみましょう
お手本なしで再現できるかどうか試してみましょう。色を変えても楽しいです。

さくらんぼ

小さなまあるい実がかわいいさくらんぼは、初心者にもぬりやすいモチーフです。球体を立体的にぬるコツをつかみながら楽しみましょう。

Point
初心者や、ぬりのはみ出しが心配な人は、ごく薄く輪郭を描くとよいでしょう。

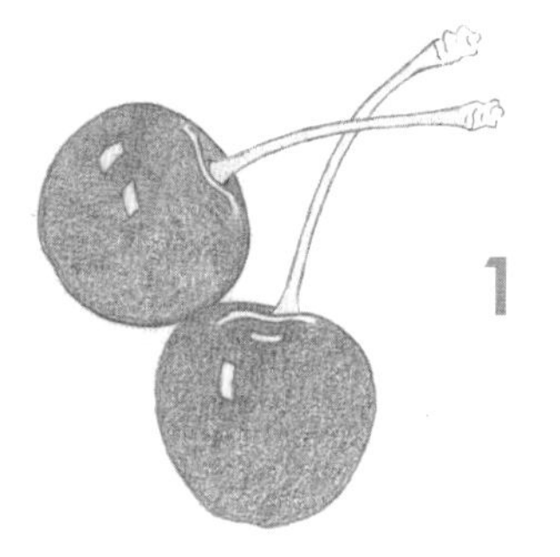

1 果実は①の色で薄く輪郭を描き、続いて同じ色で薄く中をぬりつぶす。ハイライト（白い部分）はぬり残す。軸は⑦の色で輪郭を描き、中を⑥で薄くぬる。

2 果実は立体の形を意識して②を重ねぬりする。軸の先端（※）を④の色で入れる。軸は⑥の色でしっかりぬり重ね、色をつけていく。

3 果実はもういちど①を重ねぬりする。立体の形を意識して、明るい色から影の部分の濃い色を重ねる。果実はさらに③の色で影をつける。軸は⑤の色で先端をぬる。影に濃い色を重ねることで深みが増す。

完成！

使用色

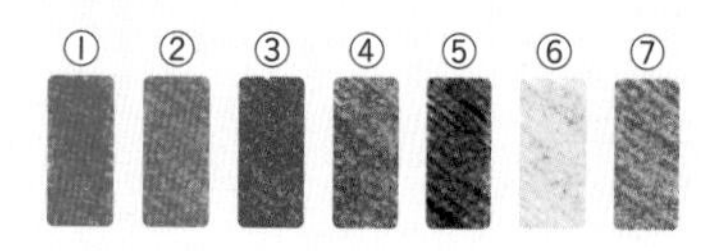

お手本

とうがらし

スーパーや八百屋さんで見かける、青々としたとうがらし。ツヤとシワの質感、一本一本微妙に違う形を楽しみながら、ぬってみましょう。

1 ①の色で薄く輪郭を描き、全体をぬる。

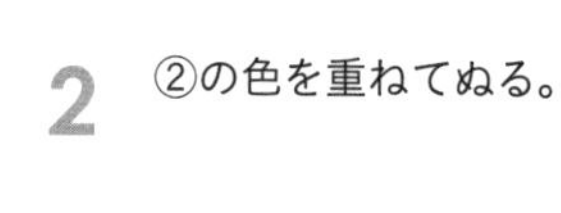

2 ②の色を重ねてぬる。

Point

ハイライトの部分は①を薄くぬり、なじませる。

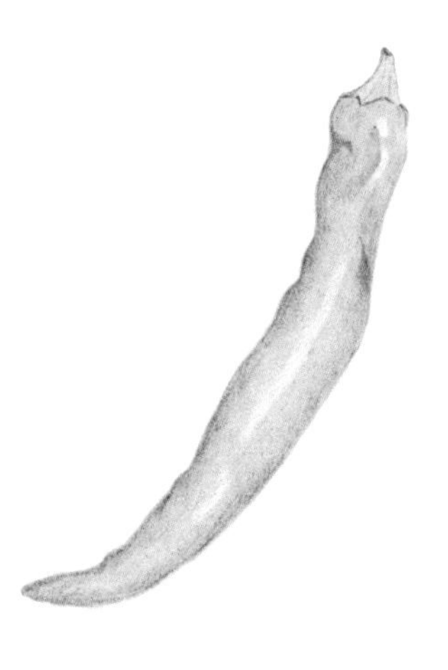

3 ③の色で影をぬる。④を③に重ねて深みや陰影を出す。

完成！

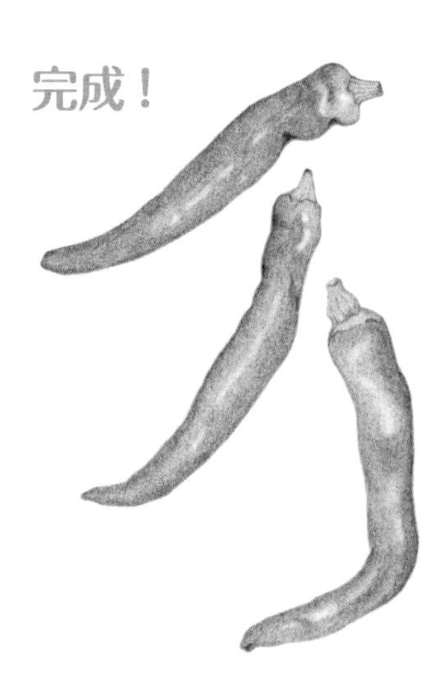

使用色

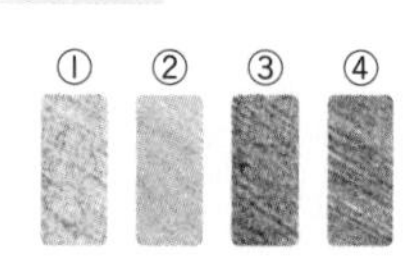

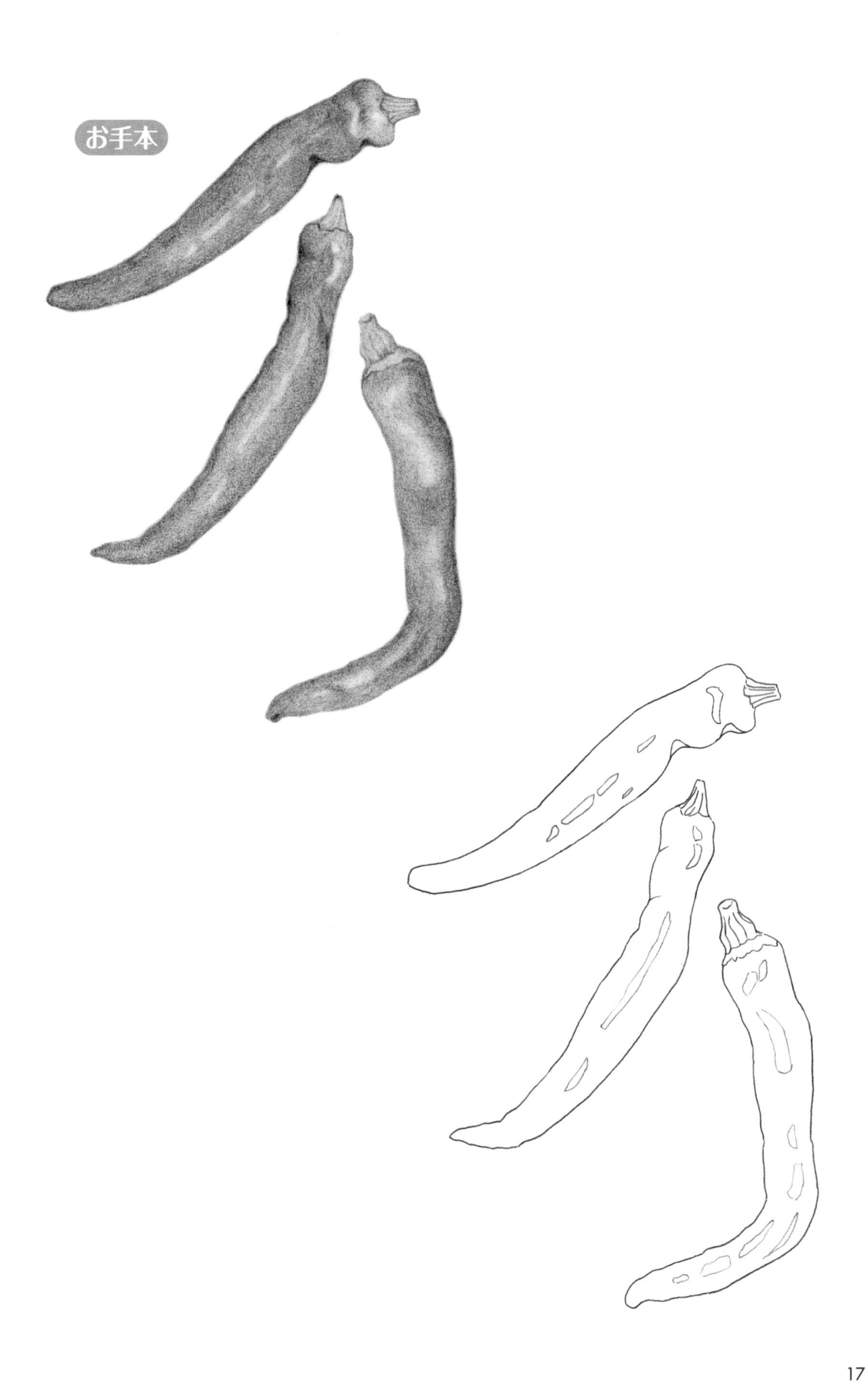
お手本

キウイ

皮はふさふさとした産毛があり、果実の断面が瑞々しいキウイは、まったく違う質感を描くのが楽しい果物。果実の中のつぶつぶしたごまのような種の部分など、ぬり分けを工夫しましょう。

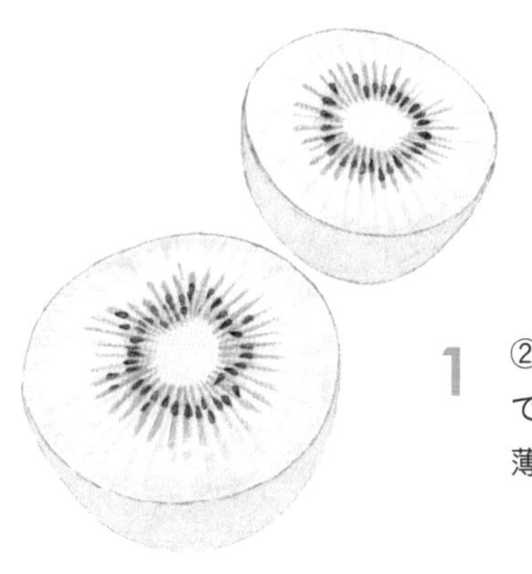

1 ②の色で輪郭を描き、同じ色で全体をぬり、種を⑥の色で薄くぬる。

2 果実の部分は①の色をさらに重ね、③の色で中心の色をぬる。皮の部分は②の色で薄くぬる。④の色で色を重ねて影をつけ、果実の立体感を出す。⑤の色で毛を描きこむ。

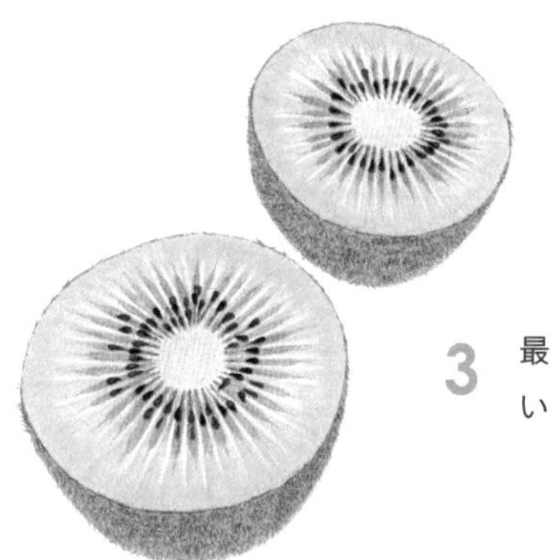

3 最後に、それぞれの色をもういちどぬり重ねる。

完成！

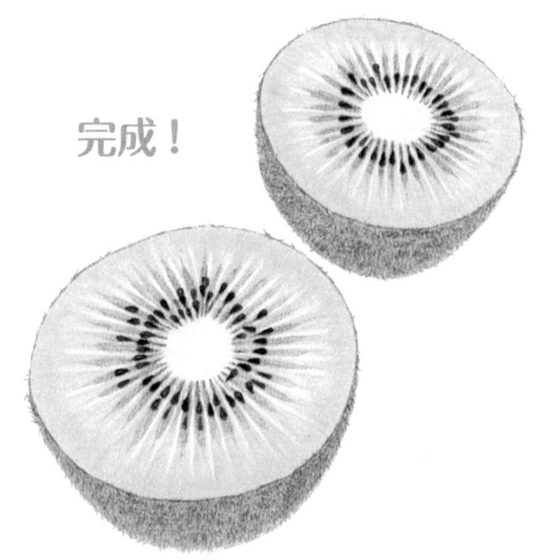

使用色

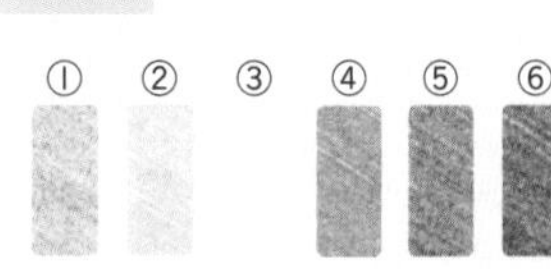

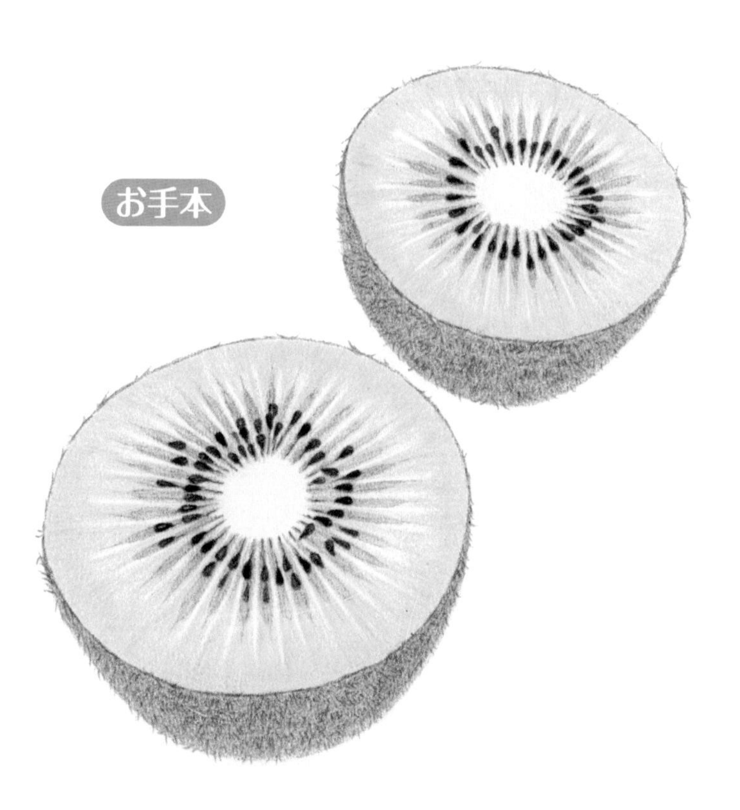
お手本

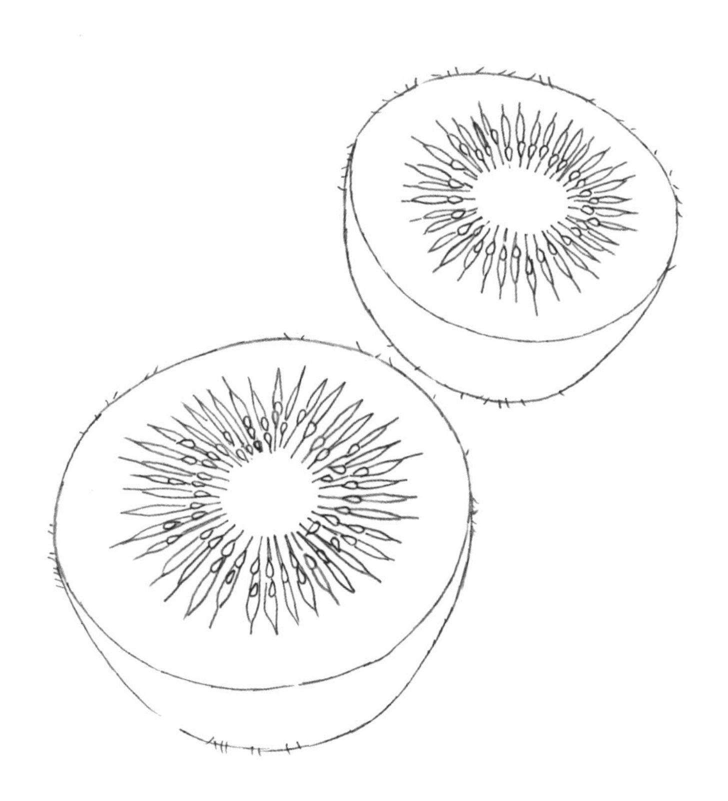

パプリカ

お料理を彩るカラフルな色のパプリカは、ただ置いてあるだけでころんとかわいらしいデザイン。楽しくぬり絵にとりかかることができるでしょう。

Point

実の色は、何度もぬり重ねてすき間なく間をうめるようにする。

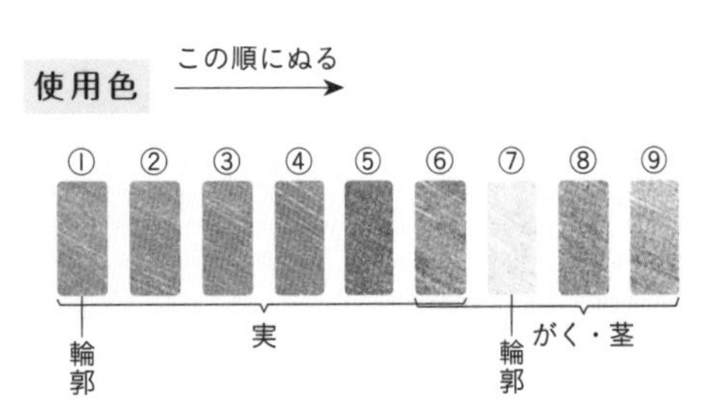

※⑥は実でもがく・茎でも使用します。

ぶどう

紫や薄緑に色づくぶどうは、夏から秋に旬を迎える、味も見た目も楽しめる果物です。光と影を意識して立体的にぬることで、まるで写真のような仕上がりになります。

使用色　この順にぬる →

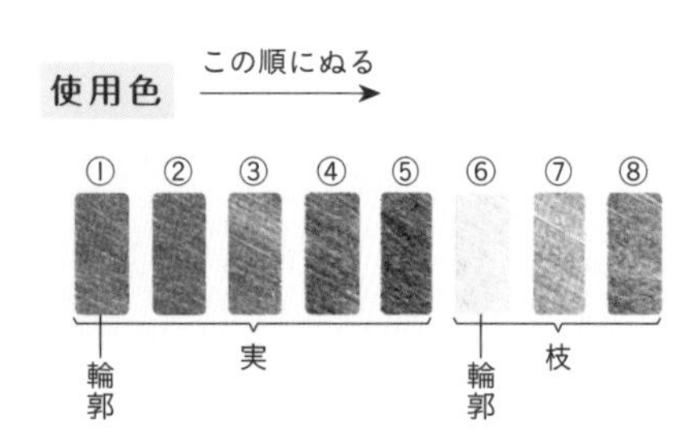

もういちどぬってみましょう

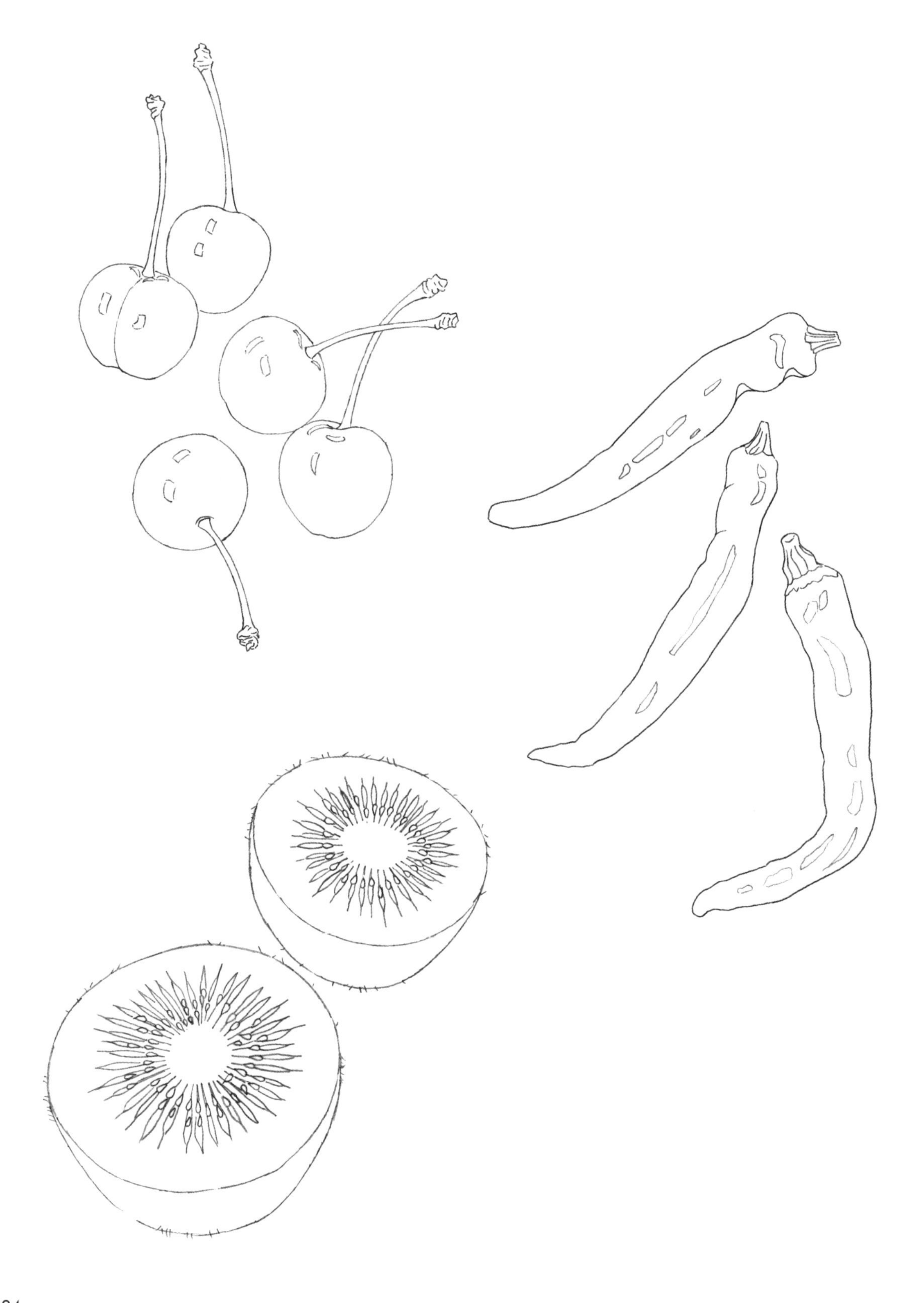

花をぬる

気をつけるポイント

茎の質感は、植物によって異なります。本物に近づけるには緑の濃淡をお手本通りに薄くぬり重ねながら少しずつ陰影をつけていきましょう。

花びらや葉などは、表と裏で色が異なります。柔らかい葉はやさしくソフトな筆圧で、硬い葉は筆圧を強めにぬり重ねます。柔らかい葉は、向きを考えて葉脈を中心に左右に分けてぬります。

アネモネ
陰影をつけて花びらの立体感を出しましょう。

チューリップ
花びらの内側と外側をリアルに表現するために白い部分を残すコツをマスターしましょう。

カーネーション
フリルのような花びらは、一枚一枚の向きや重なりに注意しながら陰影をつけてぬりましょう。

バラ
華やかでゴージャスなバラ。光の当たるハイライト部分を意識しながら、花と葉の瑞々しさを表現しましょう。

スイートピー
蝶のような花びらのフェミニンな雰囲気。花脈(かみゃく)をていねいに描くようにぬりましょう。

ヒペリカム
鮮やかな赤い実に、白いハイライトで、ツヤツヤとした質感を表現しましょう。赤系のグラデーションで陰影をぬり、立体感を出します。

ガーベラ
陽気で明るくキュートなイメージの花。段々にたくさん重なった花びらの中心は、色鉛筆の芯を尖らせて細やかに。

芍薬(しゃくやく)
重なりの多い花びらは、軽やかに薄く色をぬり重ね、盛り上がるような花のボリューム感を出しましょう。

アネモネ1

「風」にちなんでつけられた名前がアネモネです。種には長い毛があり、タンポポのように風で運ばれていきます。揺れるアネモネを想像しながらぬってみましょう。

1 ②の色で花の輪郭を描く。①で全体をぬる。②と④の色でおしべとめしべをぬる。
茎、がくは⑥で輪郭を取り、薄くぬる。

2 ②で花びらをぬる。筆圧を軽くしてぬり重ねて陰影をつける。⑥と⑦で茎やがくをぬる。⑧でがくの影をぬる。陰影をつけた花びらの上から③で花脈を描く。

CLOSE UP

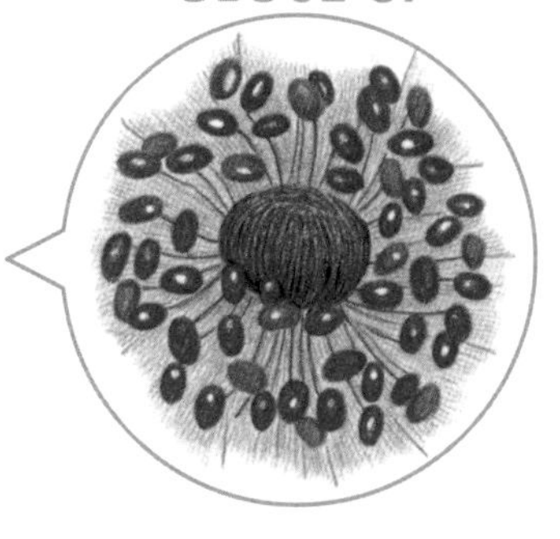

3 ③の色で陰影をつけながらさらに花脈を描く。⑧と⑨の色で花芯をぬる。⑤の色で全体の陰影をつける。

使用色

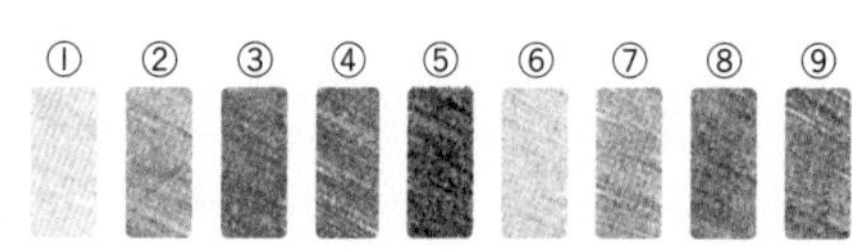

アネモネ2

前のページでプロセスを見ながらぬったアネモネを、今度は大きなお手本を見ながらぬってみましょう。

チューリップ1

世界中で人気の球根植物。鮮やかな色の花や大きく細長い葉が印象的なチューリップ。花びらの重なりで表情が変わるのも面白いですね。

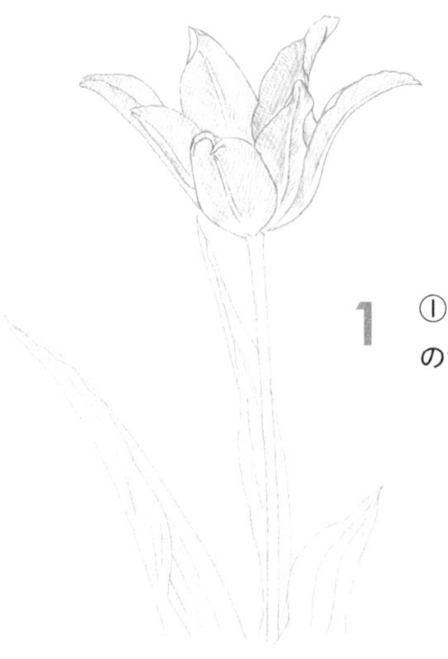

1 ①の色で花の輪郭を描く。⑤の色で茎と葉の輪郭を描く。

2 ②の色で花びらをぬり重ねる。⑤⑥の色で葉をぬり重ねる。

3 ③④の色で花びらをぬり重ね、陰影をつける。⑦の色で葉の影をぬる。⑧の色で中心部（※）に影を入れる。⑧の色で花弁の影を入れる。

完成！

使用色

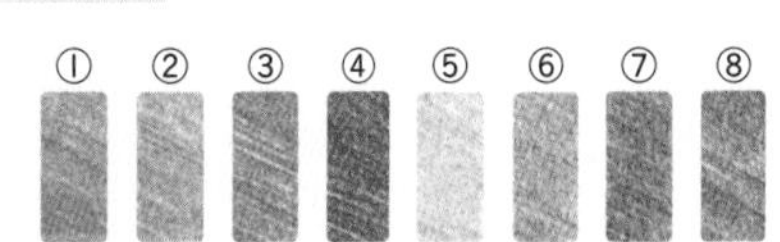

チューリップ2

前のページで学んだぬり方をもとに、大きなお手本を見ながらぬってみましょう。花の色を変えてぬっても楽しいです。

カーネーション

母の日の贈り物として知られるカーネーション。原画をコピーしてぬったものや、実際の花をデッサンして着色したものをカード代わりに贈っても、喜ばれそうです。

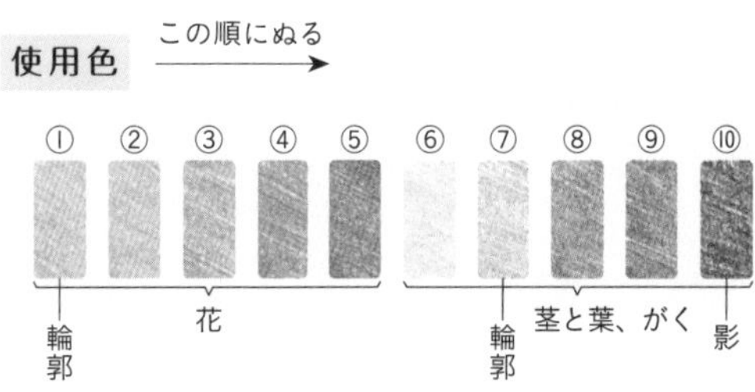

バラ

華やかで最も人気がある花といわれるバラ。その中でもやさしい色彩が魅力のローズピンクがお手本です。今までのぬり方プロセスを参考にして、見本を見ながらぬっていきましょう。

スイートピー

蝶のように舞う花びらのスイートピー。今までのぬり方プロセスを参考にして、見本を見ながらぬっていきましょう。

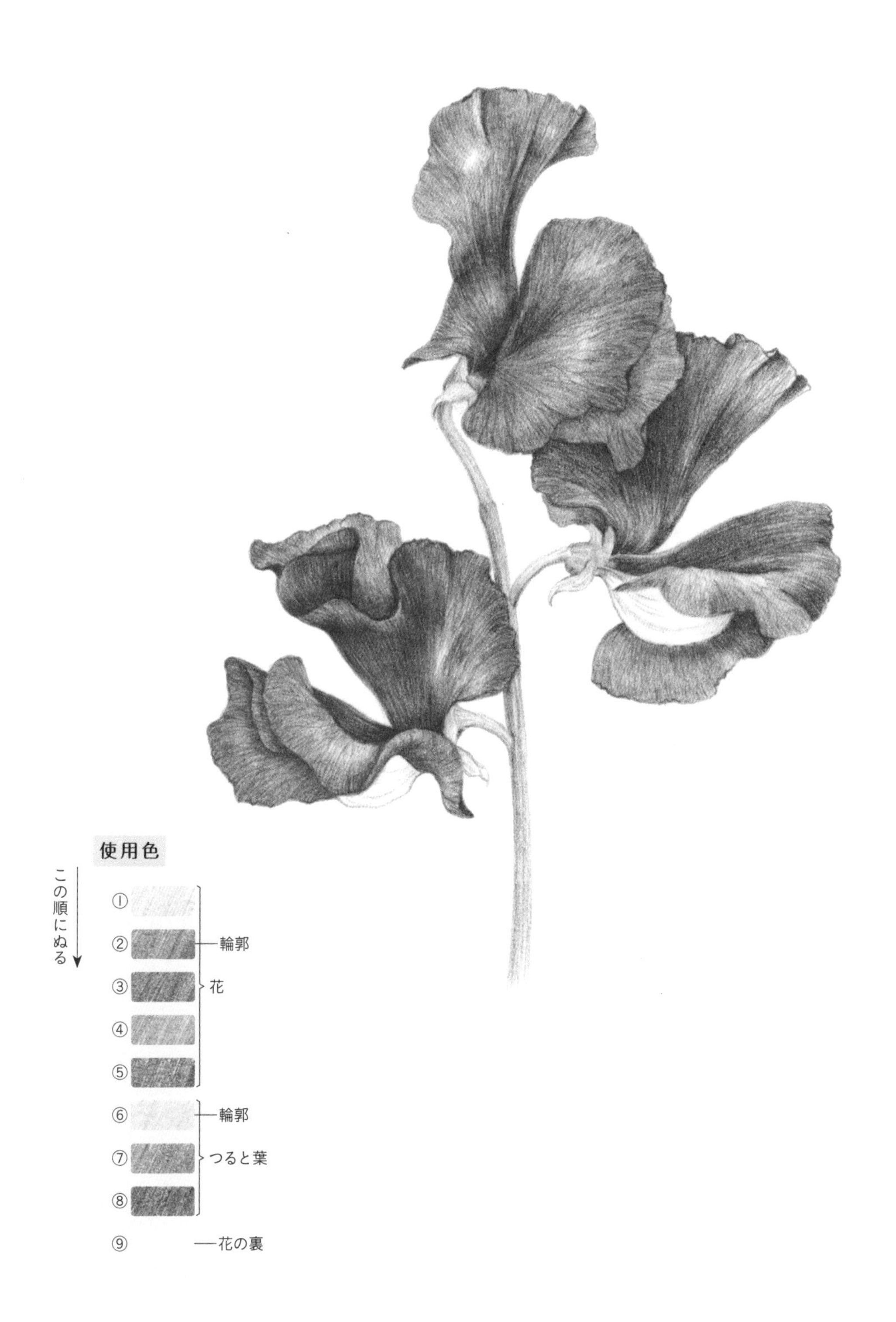

ヒペリカム

かわいい赤い実が印象的な植物です。「野菜や果実をぬる」で学んだ実のぬり方、前ページまでで学んだ葉や茎のぬり方を参考に、挑戦してみましょう。

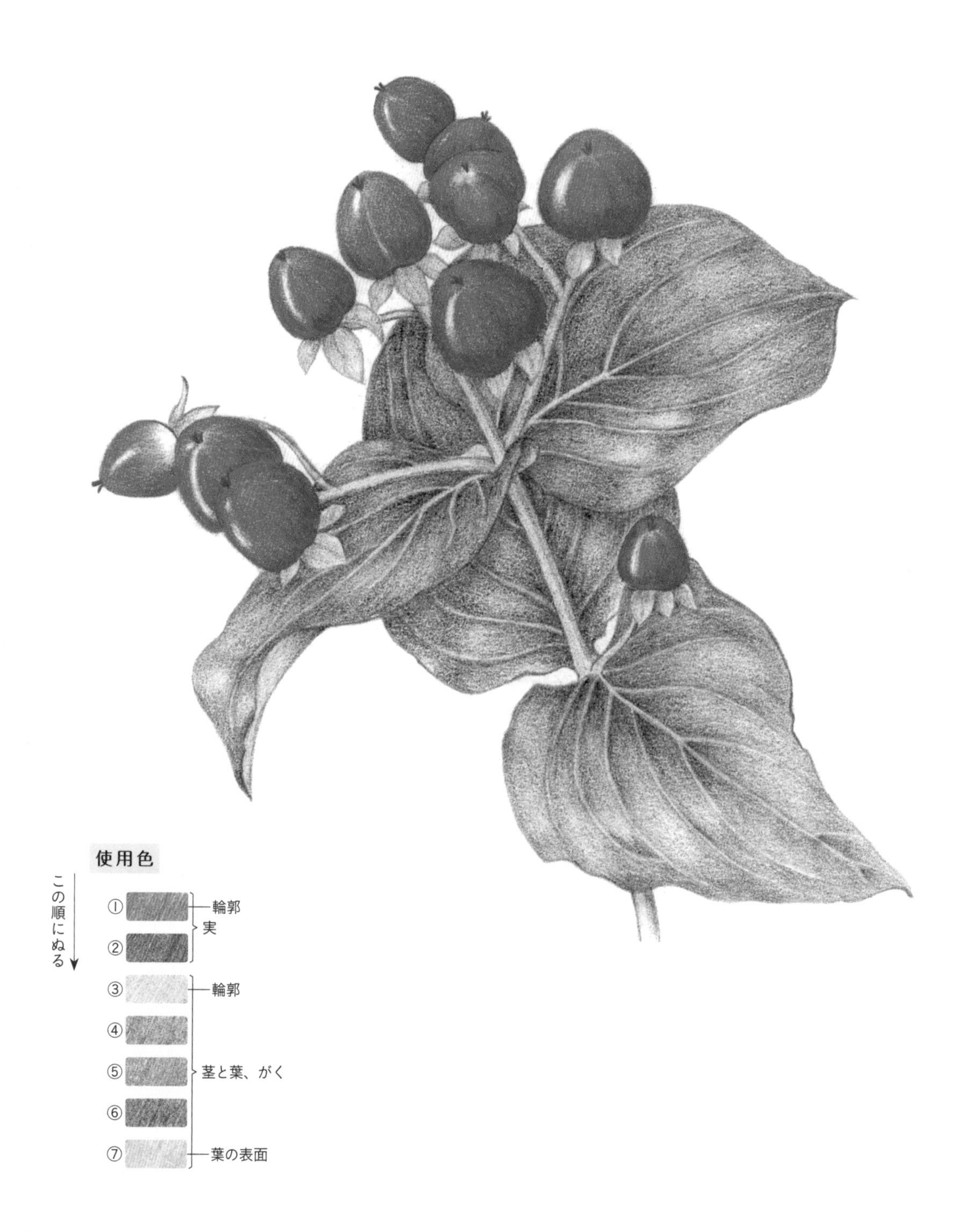

ガーベラ

キク科の花で、温暖な場所に分布している、ガーベラ。お花屋さんのブーケでもたくさん使われるので、とても身近に感じられるでしょう。可憐なうすピンクを重ねて立体感を表現してください。

芍薬（しゃくやく）

根が漢方薬としても使われる芍薬。ころんと愛らしい形をしています。その可憐な魅力を再現してみましょう。

いろいろな質感
をぬる

気をつけるポイント

ツヤを出したい素材は、ハイライトの使い方が重要。必ずぬり残すようにしましょう。

何色も色を重ねることで、表現が奥深くなり、立体感が出ます。

ミントティBOX
細かな模様をぬってみましょう。

ナッツの袋
ビニール製の袋の光沢と、ナッツの陰影を表現しましょう。

テディベア
ふさふさの毛と影の繊細さ、かわいらしい目と鼻のツヤと丸みを出しましょう。

切子ガラスの猪口
ガラスの質感や透明感は、色の濃紺と白の使い方が鍵です。

備前焼の猪口
素朴な模様とかすかな光沢とのバランスをとっていきましょう。

漆器の猪口
外側の木目と内側の漆の光沢の違いを出すと、本物に近づきます。

砥部焼の猪口
白い器に描かれた文様を、本物の焼き物のようにていねいにぬります。

アンティーク鍵
金属の重量感を表すには、光と影の色の差を大きくするのがポイントです。

ミントティ BOX ／ナッツの袋

紙でできた直方体の箱の質感と細かい模様、ビニールでできたナッツの袋の質感の違いを楽しみながらぬってみましょう。

ミントティ BOX

パッケージに描かれた植物は、花と同じように、⑤で薄く輪郭を描き、⑥を重ねて立体感を出す。オレンジのラインも①と②を重ねて描く。真っ赤なアクセントは③を丹念にすき間なくうめて④を重ねる。⑦〜⑩の色でお手本を見ながら箱に陰影をつける。

ナッツの袋

袋は①で輪郭を描き、②③④と重ねてぬる。ナッツは⑦で輪郭を描き、⑥を重ねる。⑦で影をつけ、⑧⑨で空間をうめる。⑤でナッツに色づけする。

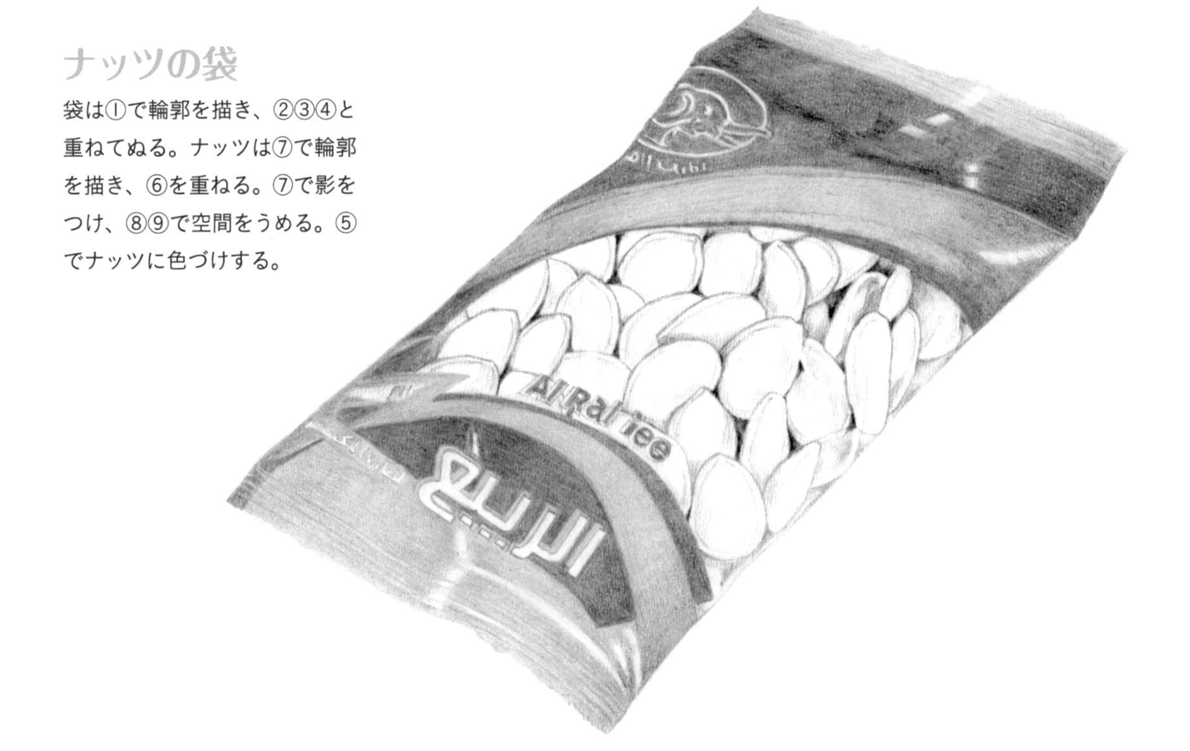

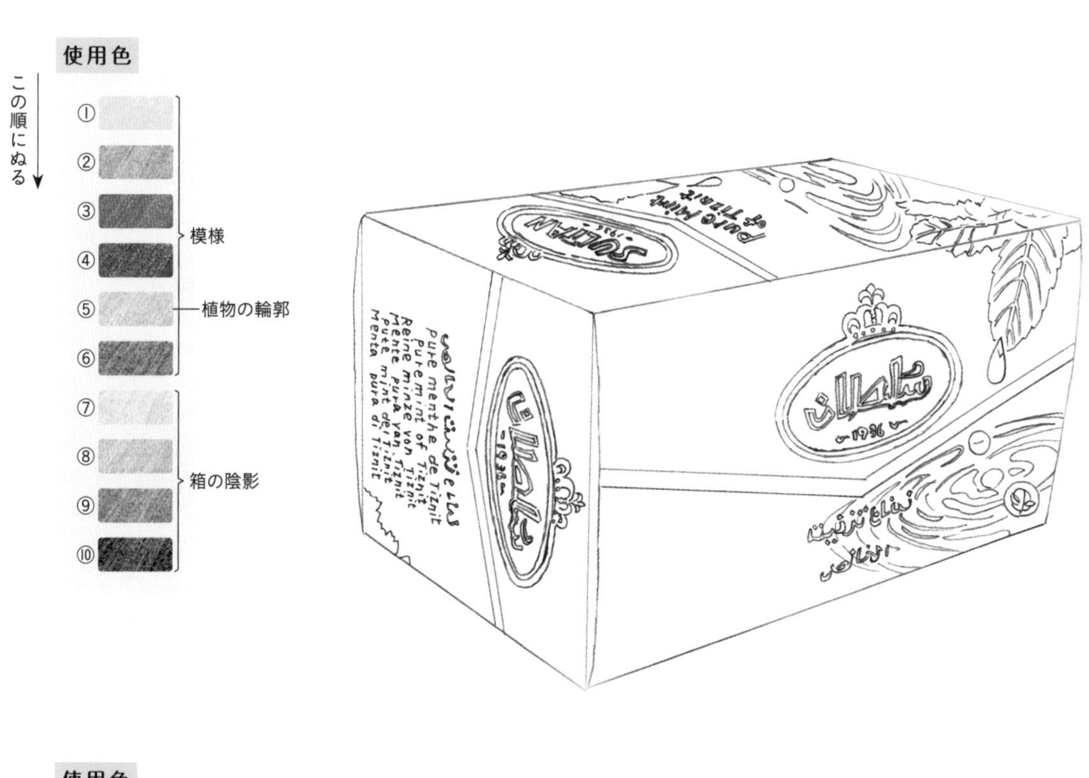
使用色
この順にぬる
①
②
③
④
⑤
⑥
⑦
⑧
⑨
⑩
模様
植物の輪郭
箱の陰影
SULTAN
pure menthe de Tiznit
pure mint of Tiznit
Menta pura di Tiznit

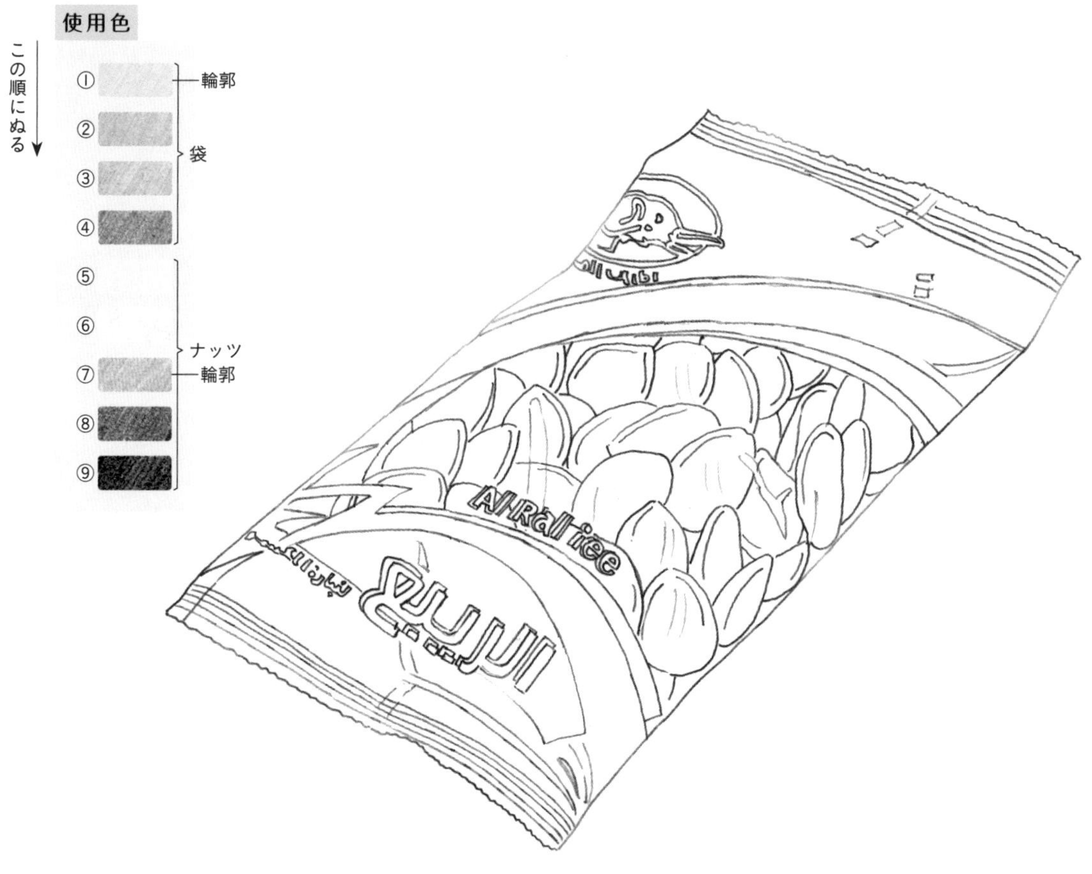
使用色
この順にぬる
①
②
③
④
⑤
⑥
⑦
⑧
⑨
輪郭
袋
ナッツ
輪郭

テディベア

ぬいぐるみの骨格を意識しつつ、陰影をおおまかにぬります。ぬいぐるみの布の縫い目を境に毛の向きが変わるので、毛の流れに沿っててていねいに毛を描いていきましょう。

使用色
この順にぬる
①
輪郭
②
③
体
④
⑤
⑥
目、鼻
⑦

切子ガラスの猪口（ちょこ）

ガラスにカット加工を施した切子ガラスは、見る角度によって表情が変わる人気の工芸品です。立体的にぬることができるようになると、まるで本物。とても素敵です。

1 白く残すところに注意しながら、①の色で輪郭を描いたらそのまま全体をぬり、影の部分に③の色を入れる。⑥の色でさらに影をつける。

2 日に当たって光が屈折している部分（※）などに、②の色を重ねる。

3 さらに②④を全体に重ねぬりし、最後に、底の一番濃い部分に⑤⑥を重ねる。

完成！

使用色

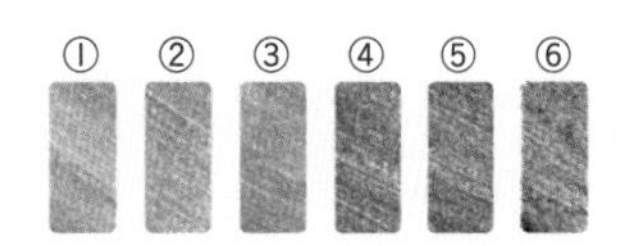

備前焼の猪口

陶土に絵付けをせず釉薬も使わずそのまま焼いた備前焼は、土味がよく表れている焼き物です。素朴な質感を楽しみながらぬりましょう。

1 ①の色で輪郭を描く。②の色で形を意識して薄くぬり重ねる。

2 ①②で濃淡をつけてぬり重ねる。

Point

土の素材の粗い目を表現する。

3 ②の色でさらに濃淡をつけてぬる。③の色で影をぬる。

使用色

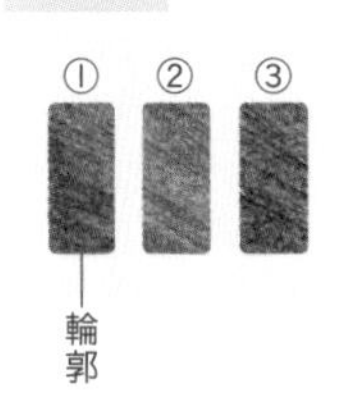

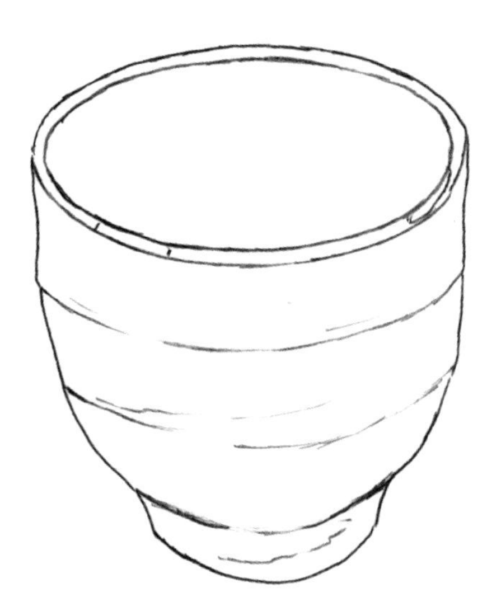

切子ガラスと備前焼の猪口

質感の違う２つの器を、大きなお手本を見ながらぬり分けてみましょう。

使用色

①
②
③
④
⑤
⑥

使用色

①
②
③

漆器の猪口

漆器は海外で「Japan」と呼ばれるほど、日本を代表する工芸品。多くの漆器の産地があり、それぞれ色や形に特徴があります。

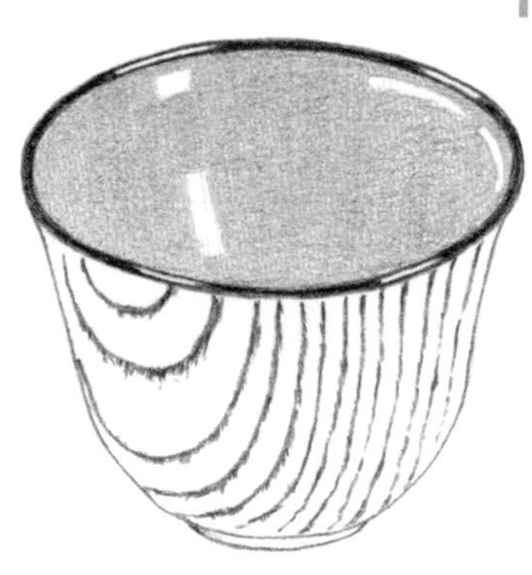

1 ⑥で猪口のふちをぬる。②で内側をぬる。③で外側の輪郭と木目を描く（木目は目印程度におおまかに）。

2 ②で猪口の内側を重ねてぬる。①で外側をぬる。③で木目をさらに重ねて描く。

Point

漆器のつるりとした素材感を均一にぬりましょう。

CLOSE UP

木目を描く

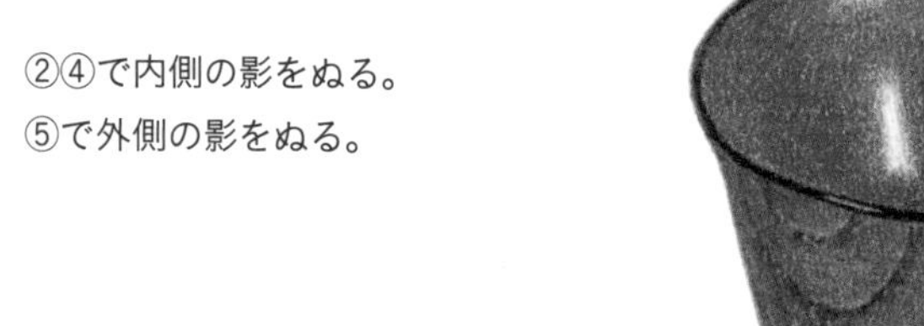

3 ②④で内側の影をぬる。⑤で外側の影をぬる。

完成！

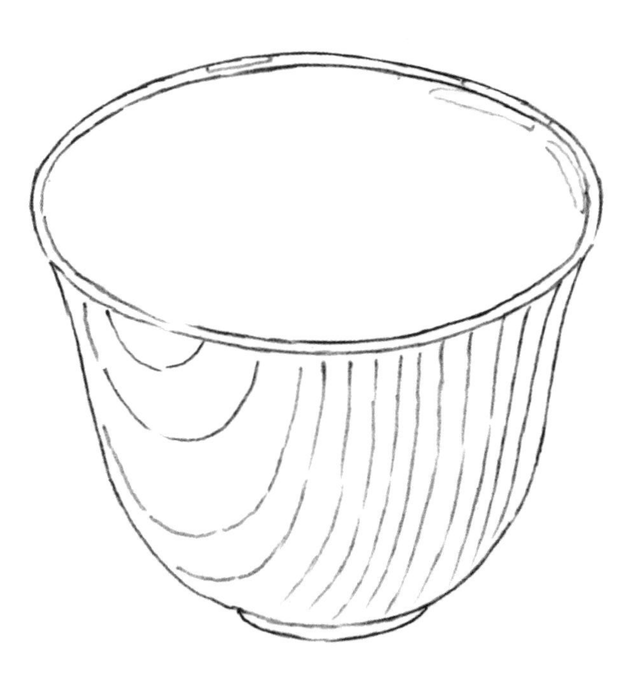

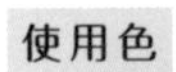

使用色

①

②

③ 外側の輪郭

④

⑤

⑥

漆器と砥部焼の猪口

さきほどの漆器を大きな見本を見ながらもういちどぬってみましょう。砥部焼は、藍色の美しい模様が印象的な愛媛県の伝統工芸品です。濃淡をつけてぬりましょう。

使用色

①
②
③
④
⑤
⑥

砥部焼は、③の色で薄く模様の輪郭を描き、①と②の色で模様をぬり重ねる。③④⑤で陰影をつける。

使用色

①
②
③ ── 輪郭
④
⑤

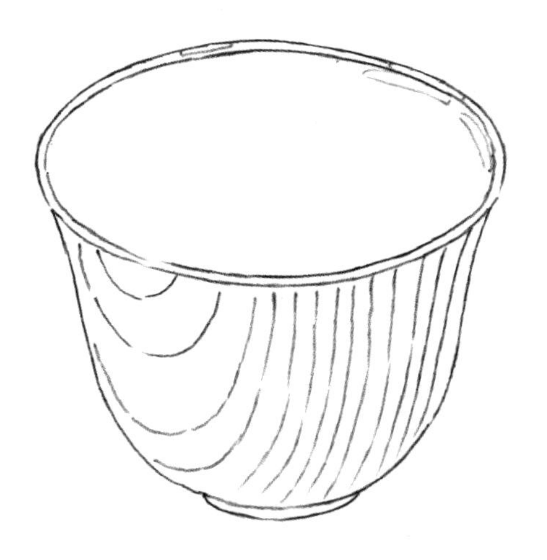

アンティーク鍵

長い年月を経て真鍮のメッキに地の鉄の部分が浮き出てくる、味わい深いアンティーク鍵。冷たい質感や重みが感じられるように、光と影の部分を意識してぬることが大切です。

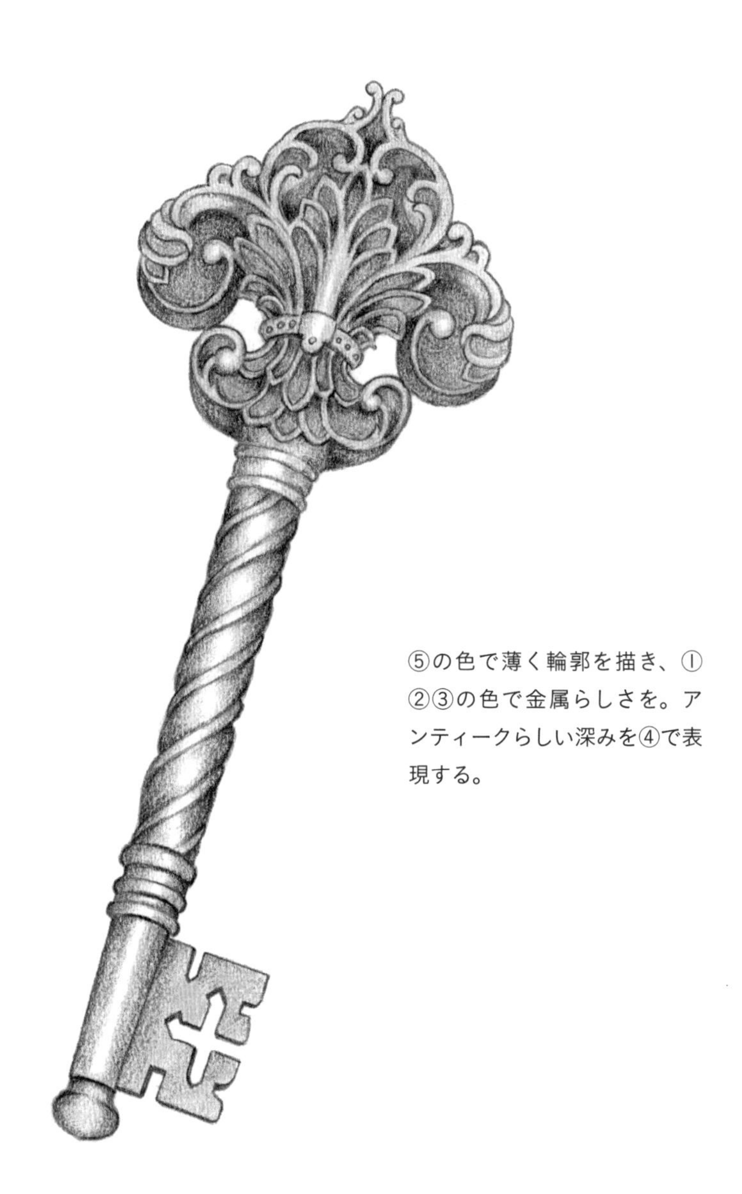

⑤の色で薄く輪郭を描き、①②③の色で金属らしさを。アンティークらしい深みを④で表現する。

使用色

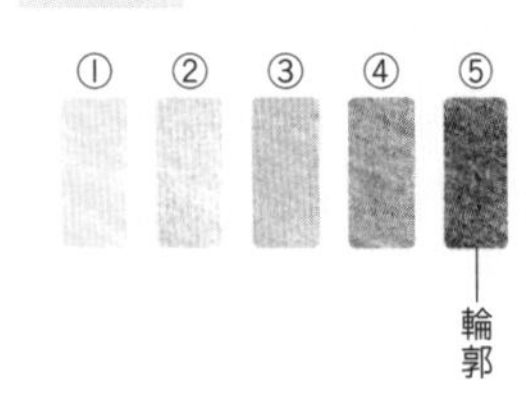

あなたにもできる！
デッサンのコツ

このぬり絵の下絵を描くにあたり、実際のお花や食べ物、小物などをデッサンしています。

ご自分でも描いてみたいと思いたったら、以下を参考にぜひチャレンジしていただければと思います。

まず、興味を惹かれ描いてみたいと思うモチーフを選びます。描いてみたいという心は、もうスタートしています。モチーフは、目との距離30~40センチの手の届くぐらいに置き、しっかり観察します。できるだけ明るい場所で描くようにしましょう。

デッサンは、モチーフをありのままに描写しましょう。観察力を培（つちか）うと『客観的視点』から物を捉える力も鍛えられます。主観的な物の見方のみで描写すると、リアルさからはかけ離れていきます。そのためにも、よく観察することが大切です。

物の骨格やつくりを観察し、質感を調べるために触れてみることも必要です。

例えば、モチーフが器であれば、質感の硬さや柔らかさ、形の面白さ、器の持つ美しい色合いなどを感じて描けば、それは線や形になって表現されます。

また、モチーフは見る人の位置によって、光の当たり方によっても変わって見えます。

対象の持っている本質や雰囲気を生き生きと描くことが大切です。

リアルに表現するには、明暗の見極めがポイントです。モチーフが空間の中で、どのような明暗の状態なのか、よく観察しましょう。本書9ページの立体感についての図を参考にしていただければと思います。

観察したことを忠実に再現することを繰り返すことで、表現力が身につきます。表現力がつくと面の捉え方＝立体感、質感の表現方法、光の陰影のつけ方などが上達していきます。

描くモチーフに近づきたいとする思いや、観察によって見つけた感動を大切にしましょう。

デッサン
ぬり絵
写真

身近な食べ物
をぬる

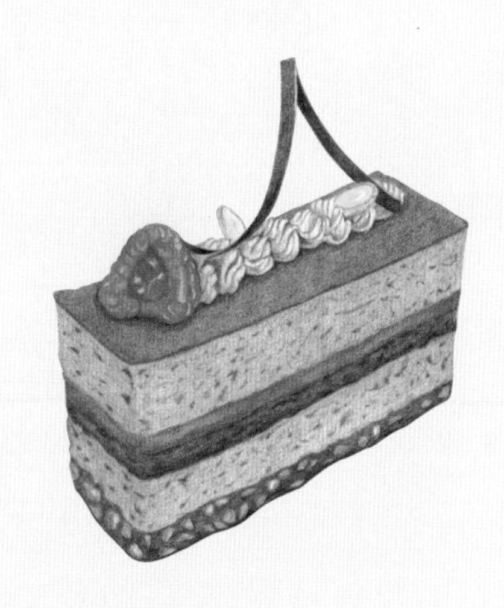

気をつけるポイント

乾いた質感は、筆圧の強弱を調整しながらぬり重ね光を吸収するようにマットな表現にします。

瑞々しいツヤは、白い光の部分を残し、まわりの濃い色の部分にぬり跡が残らないように、空間をうめるようにぬって表現します。

クロワッサン2種
パン生地のサクサク感、焼き色の違いやごまの質感などに気をつけてぬります。

ハンバーガー
バンズと瑞々しいレタスやトマト、ジューシーなパテをぬり分けます。

ケーキ
クリームの質感とツヤのある果実の質感の違いを楽しみましょう。

水無月
ういろう（上新粉＝お米の粉）のもっちりとした食感をイメージしてぬります。

桜餅
つぶ（道明寺粉）のひとつひとつを立体的に際立たせるようにぬりましょう。

柏餅
お餅（上新粉）の柔らかくもっちりした生地を、グレートーンでぬります。お餅につく柏の葉の影に注意して立体感を表現しましょう。

豆大福
表面の白い打ち粉（片栗粉）をグレートーンと淡いクリーム色でていねいに陰影をつけてぬります。
表面に近い豆と内側のお餅にくるまれた豆の色をぬり分けましょう。

クロワッサン

サクサクの食感と軽さで知られるクロワッサンは、パンの中でも高い人気を誇っています。

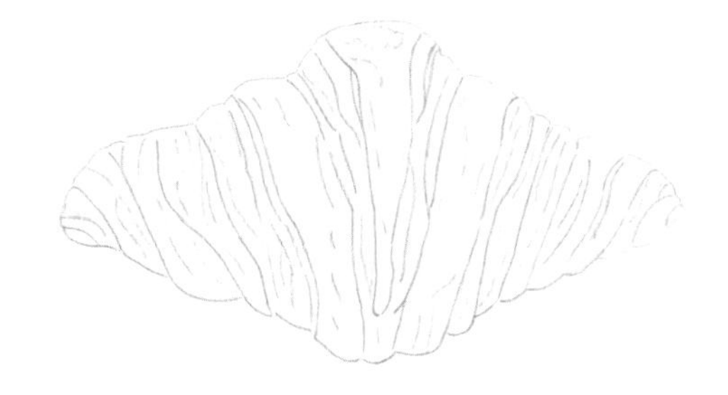

1 ⑤でクロワッサンの輪郭を描く。①②の薄い色でパン生地をぬる。

2 ②③④⑤と薄い色から濃い色へ重ねていく。

3 ⑥⑦と焼き色をつけていく。

完成！

使用色

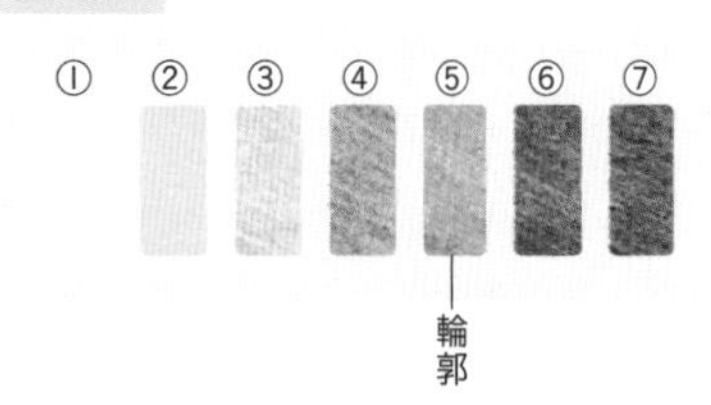

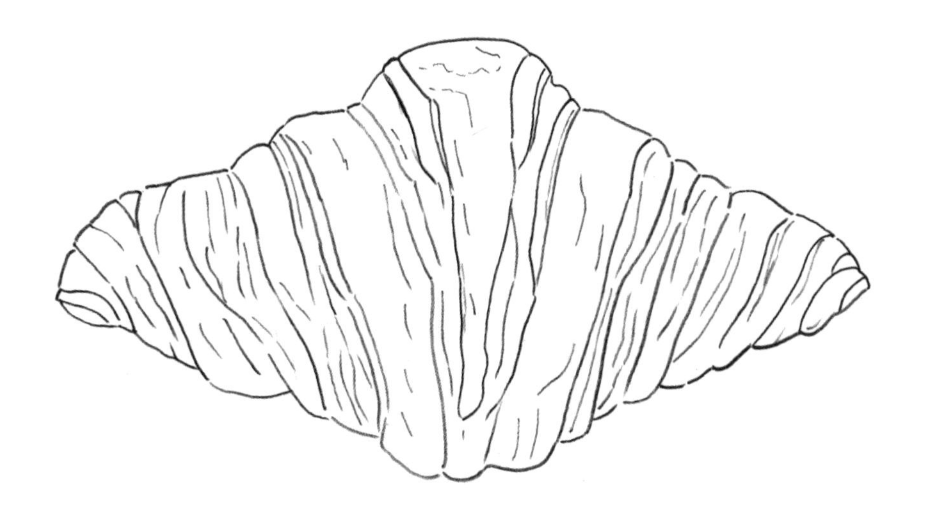

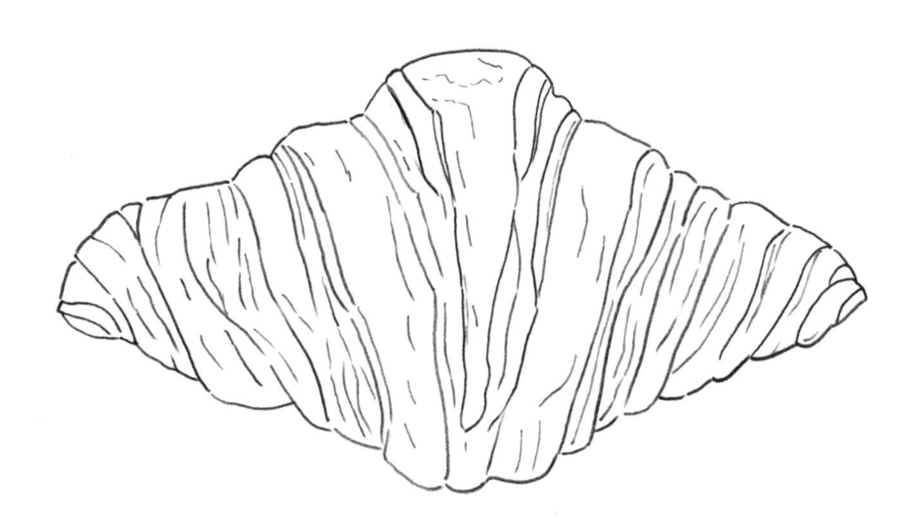

ごまつきクロワッサン

今度は同じクロワッサンでも、ごまなどのトッピングがあるものをぬってみましょう。

1 ⑧でクロワッサンの輪郭と影を描く。②でクロワッサンの生地の割れ目をぬる。筆圧を軽く薄くするのがポイント。①で割れ目に光が当たっている部分をぬる。

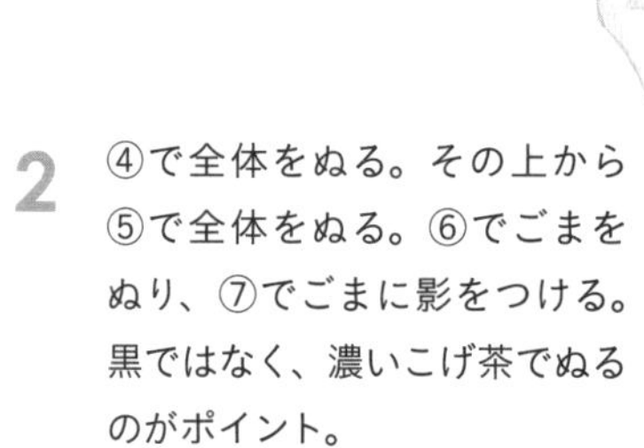

2 ④で全体をぬる。その上から⑤で全体をぬる。⑥でごまをぬり、⑦でごまに影をつける。黒ではなく、濃いこげ茶でぬるのがポイント。

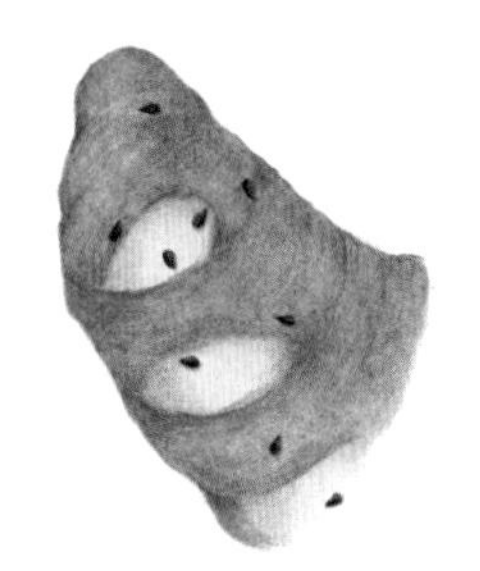

3 ⑦でごまの影をぬる。③でごまをパンになじませるように重ねてぬる。

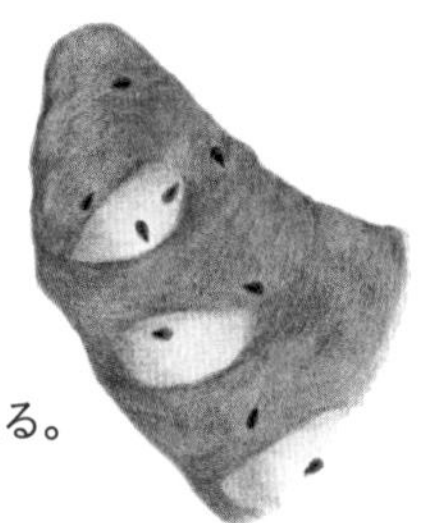

4 さらに濃い色を重ねる。

完成！

使用色

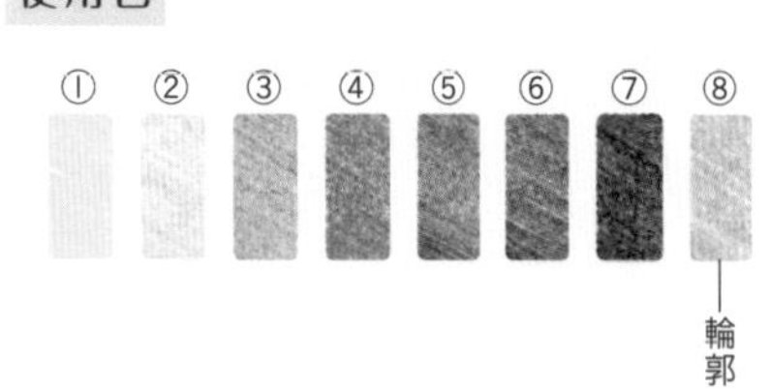

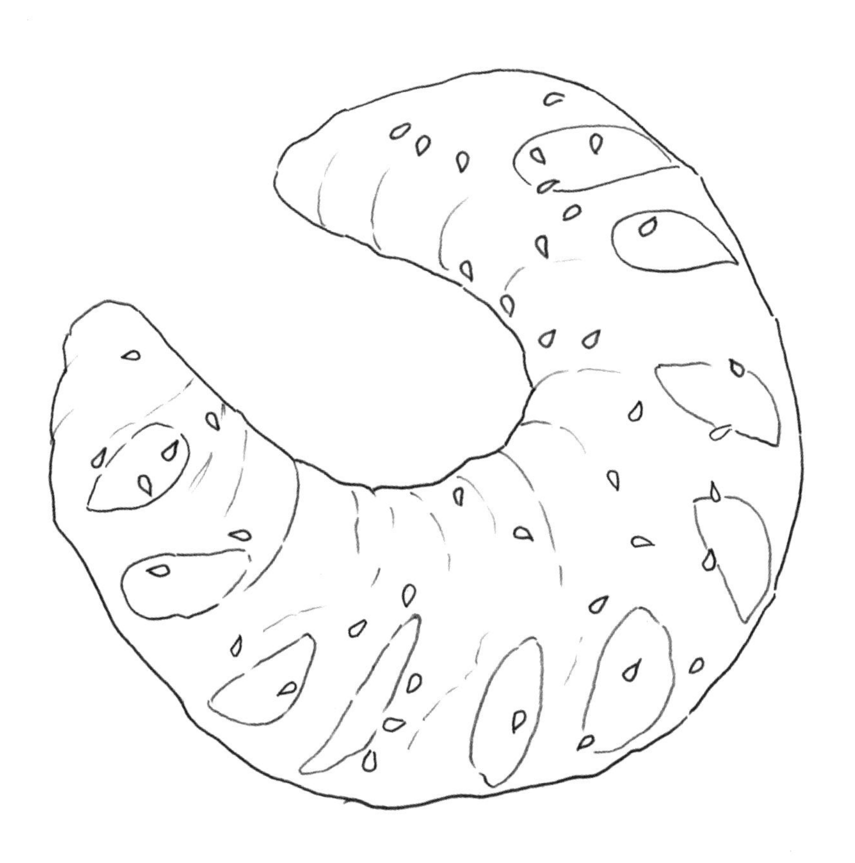

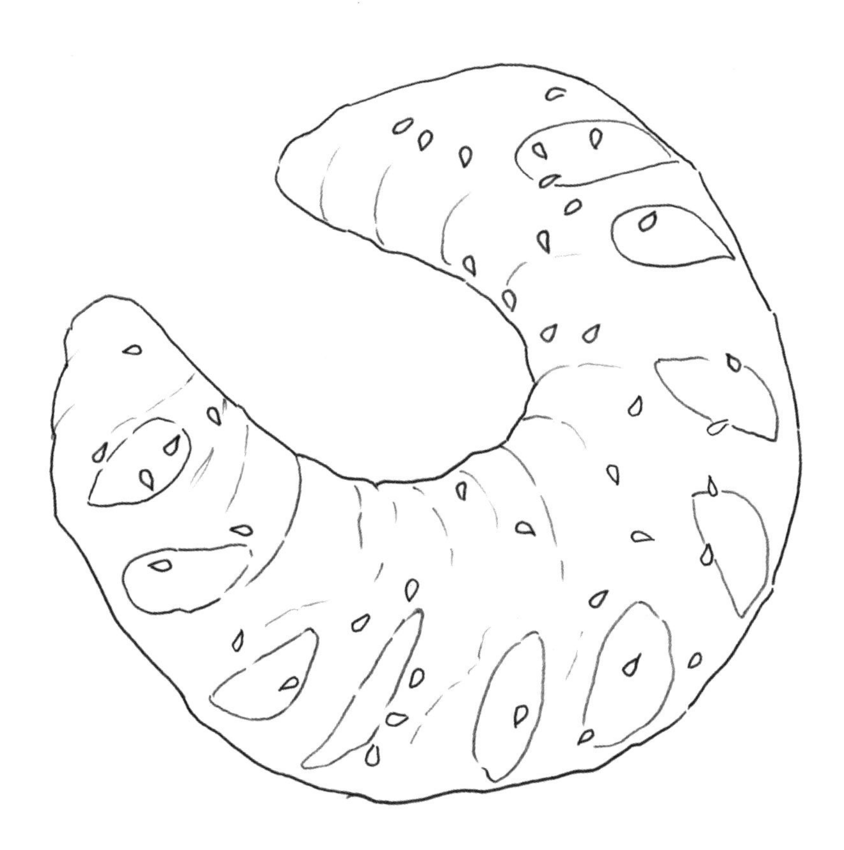

クロワッサン2種

今度は原寸大の絵を見ながら、２種類のクロワッサンをぬっていきましょう。焼き色の変化を楽しみながら、おいしく見えるように仕上げていきましょう。

使用色

①
②
③
④
⑤
⑥
⑦

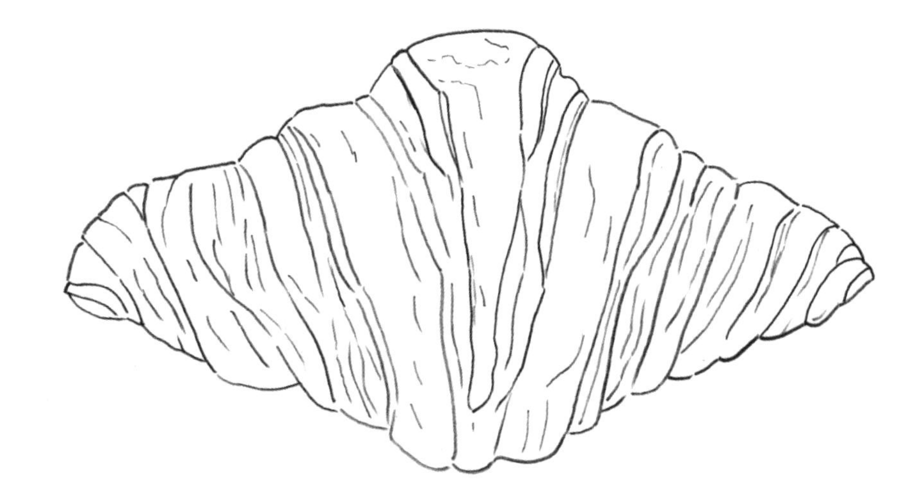

使用色

①
②
③
④
⑤
⑥
⑦
⑧

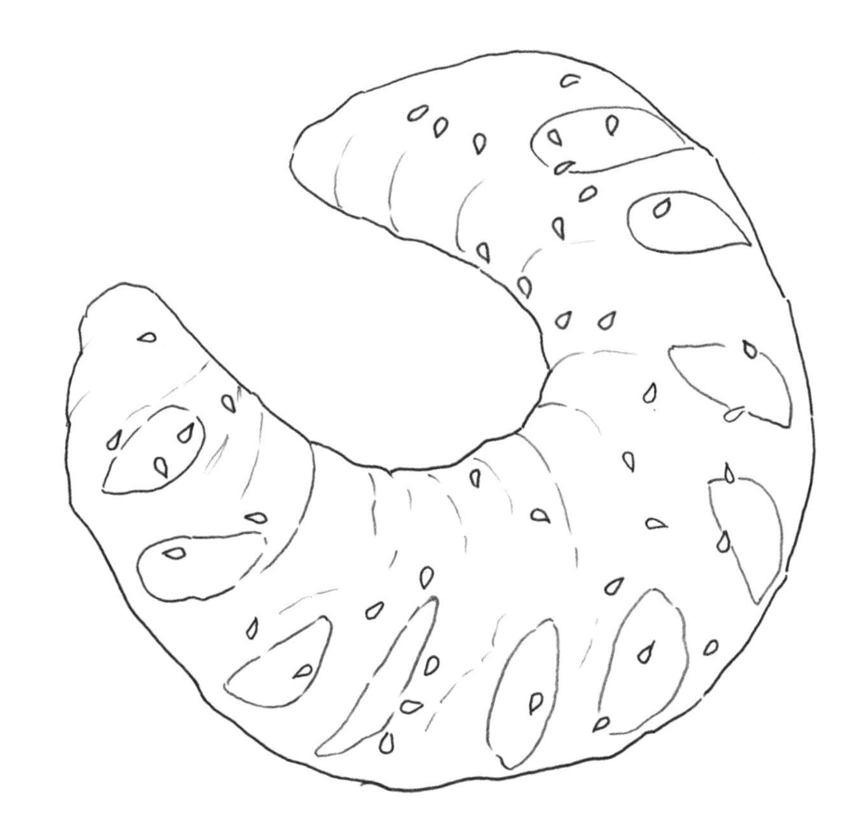

ハンバーガー1

白ごまつきのバンズ、フレッシュなレタスやトマト、玉ねぎ、そしてよく焼けたパテと、たくさんの具材をぬり分けます。

1 それぞれのパーツの色を薄くぬる。

2 1でぬった色をもういちど重ねぬりする。これを数回繰り返す。

3 少し濃い色を重ね、さらに影をつける。白いハイライトは最後までぬり残す。

完成！

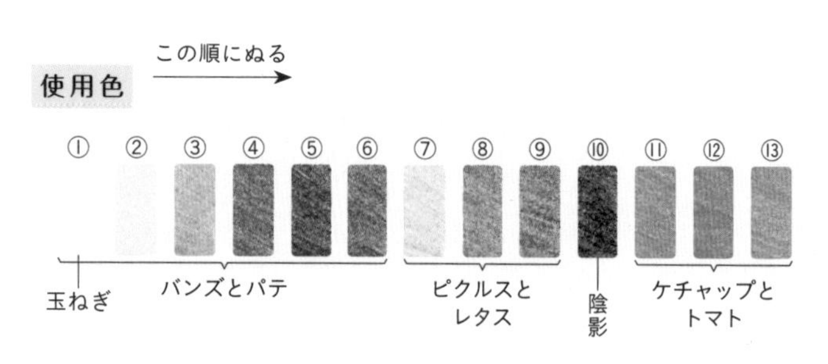

ハンバーガー2

今度は原寸大の絵を見ながら、ハンバーガーをぬっていきましょう。ぬり分けが難しいですが、さきほどよりも上達しているはずです。

使用色

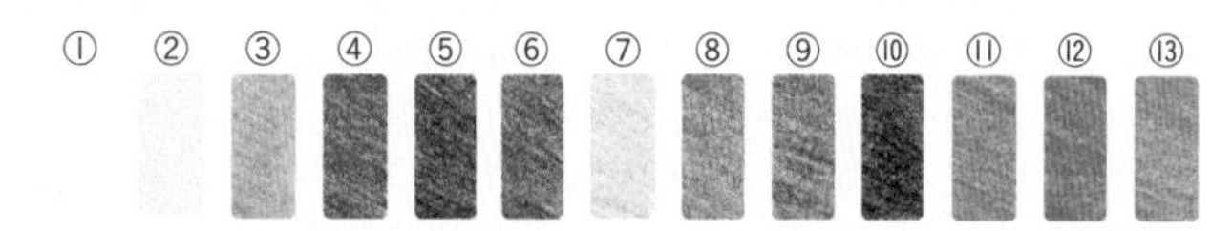

ケーキ

クリームとスポンジ、ラズベリーやチョコレートの質感をぬり分けましょう。

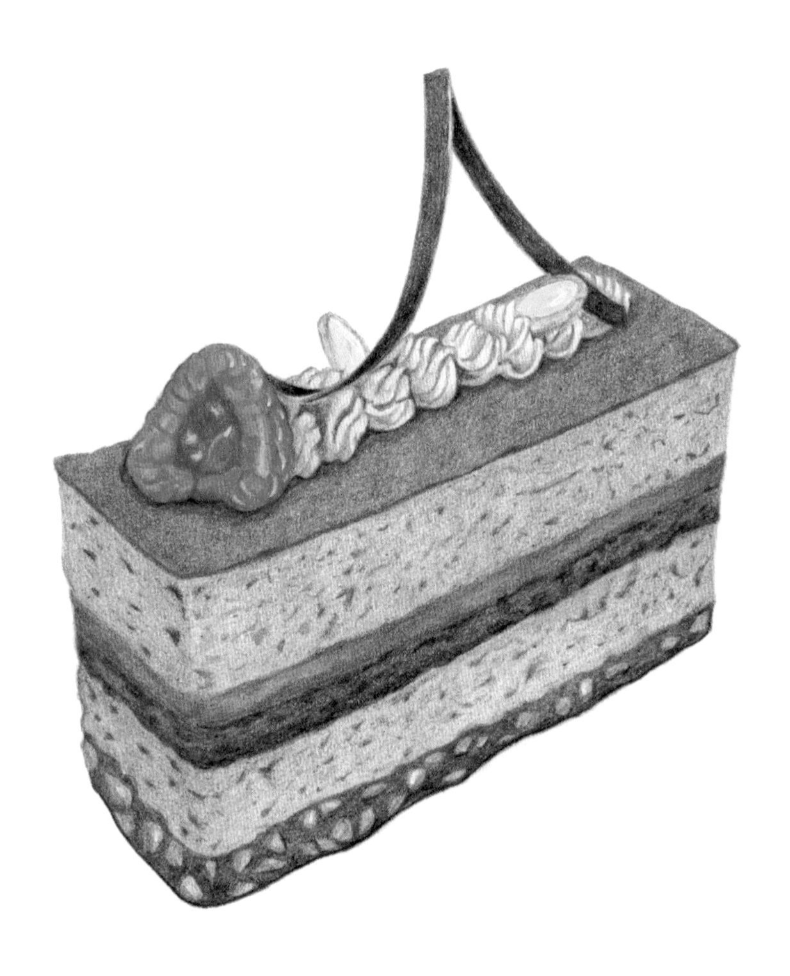

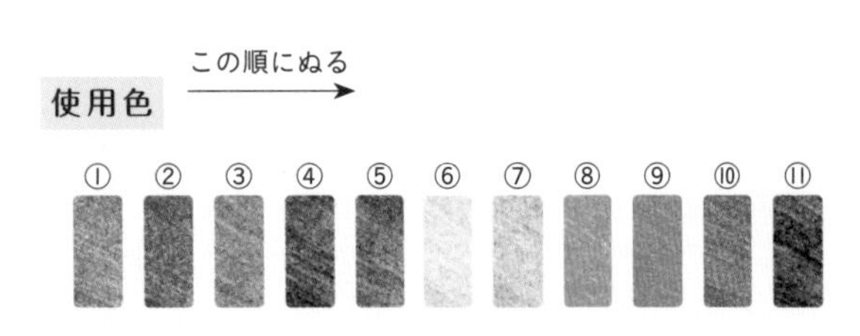

スポンジ・チョコレートクリーム・飾りのチョコ　①〜⑤
ラズベリー・ラズベリークリーム　⑧⑨⑩
ピスタチオ　⑥⑦
ナッツ　①
ケーキ下の影　⑪

Point

今までと同じように、薄い色で輪郭を描き、全体をそれぞれの固有色でぬり重ねながら立体感を。ラズベリーの濃い色は、何度も色を重ねることでツヤツヤの質感が再現できます。

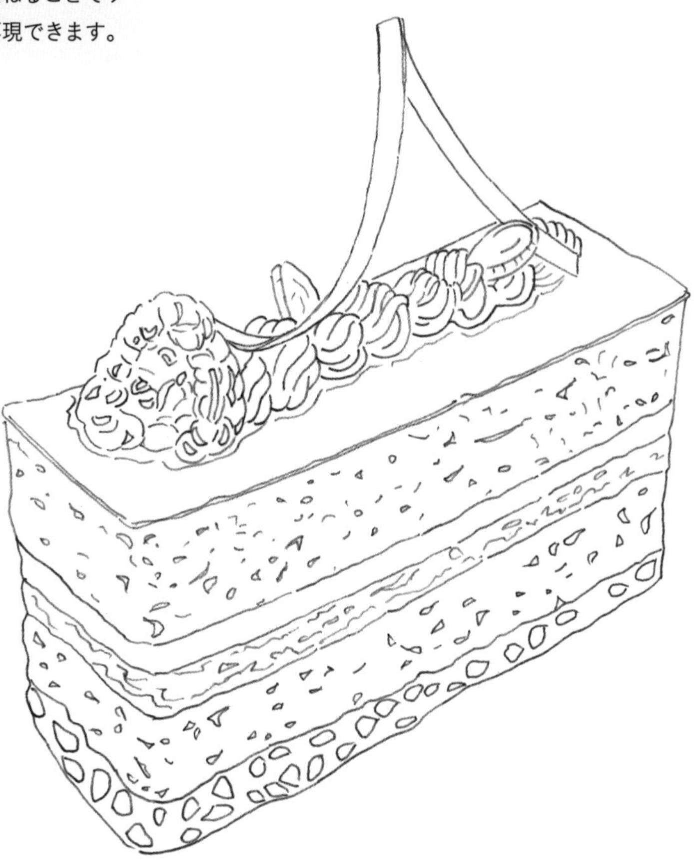

水無月

京都で6月30日の「夏越(なごし)の祓(はらえ)」に、1年の残り半分の無病息災を祈念して食べるお菓子です。白ういろうの上の小豆のツヤをていねいにぬって、おいしそうに仕上げましょう。

1 ⑧でういろうの輪郭を描く。①と⑨でういろうに立体的な影をつける。小豆は⑦で輪郭を描き、中を③でぬる。

2 小豆の中を③④⑤を使ってぬり重ねる。

3 ②でういろうのまわりの影をぬり、⑥で小豆のすき間と影をぬる。

完成！

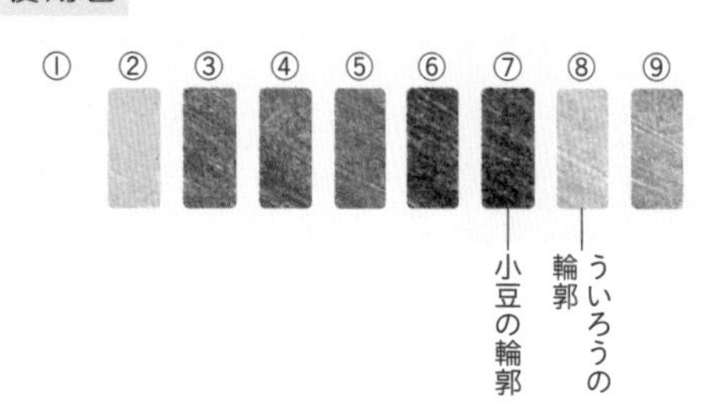

桜餅

桜餅には2種類あり、今回ぬり絵で使うのは主に関西で食べられている道明寺粉を使ったもの。もち米の食感が残るつぶつぶの生地は、白の使い方が鍵です。

1 ④で葉の輪郭を描き、薄く全体をぬる。②で桜餅の輪郭を描く。①で桜餅をぬる。

2 ④で葉をぬる。⑤で葉の影をぬる。②で桜餅の影をぬる。③で葉脈をぬる。

3 ⑥で桜餅のつぶを描くようにハイライトをぬる。

完成！

使用色

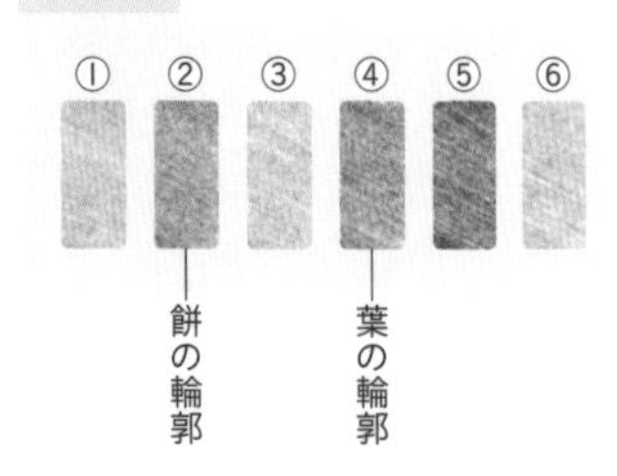

水無月と桜餅

原寸大の絵を見ながら、並べてぬってみましょう。

使用色

①

② 

③ 

④ 

⑤ 

⑥ 

⑦ 

⑧ 

⑨ 

使用色

① ② ③ ④ ⑤ ⑥

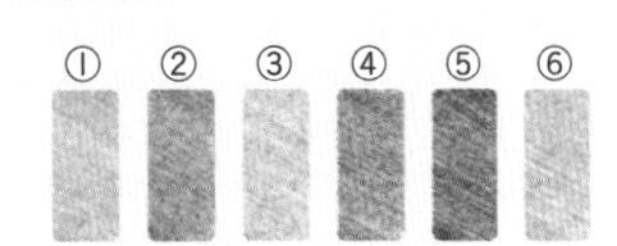

柏餅と豆大福

前のページのぬり方を参考に、原寸大の絵を見ながら、柏餅と豆大福をぬってみましょう。

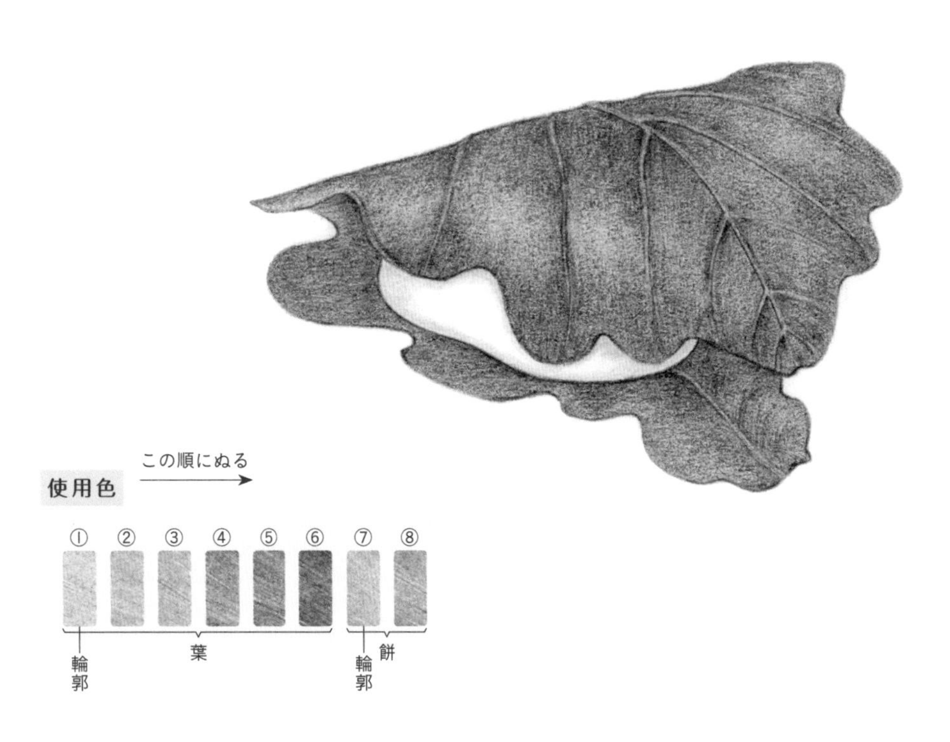

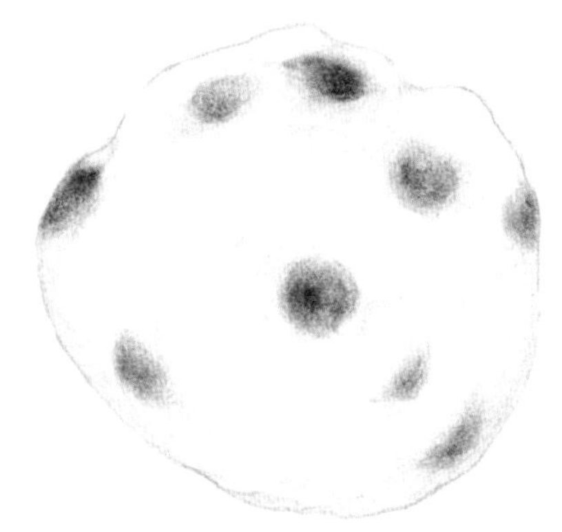

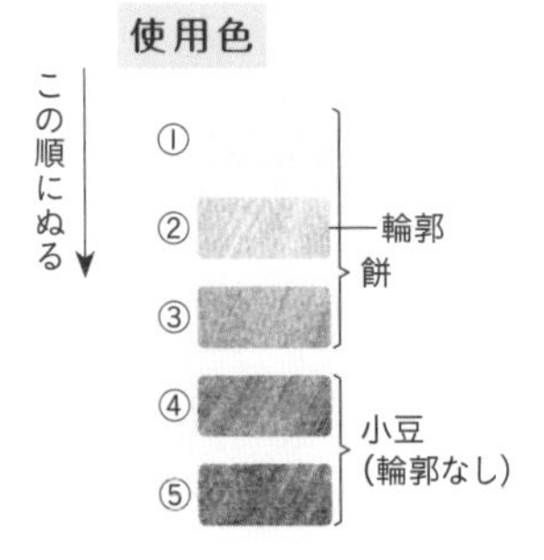

違う質感の
モチーフを複数ぬる

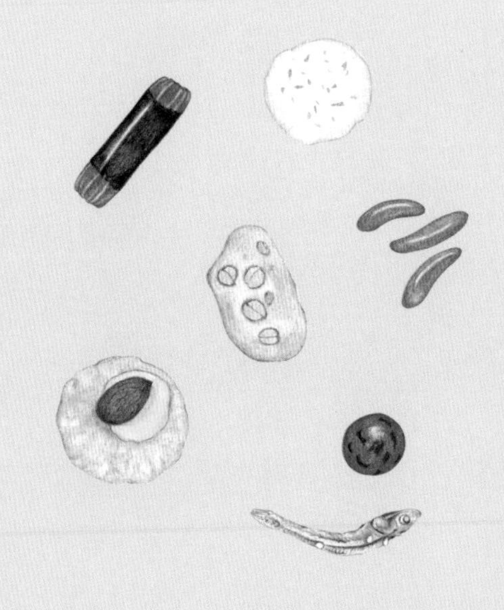

気をつけるポイント

焼き菓子の様々な色や形、質感をぬり分けます。

ツヤのある素材は、ハイライトを残し、陰影をつけます。

おせんべいなどざらざらしたものはハイライトからのグラデーションを生かしてみましょう。

ふきよせ
茶席で振舞われる焼き菓子です。淡く繊細にぬるのがポイントです。

いろいろなあられやおせんべい
のりせんべい、柿の種など様々な質感、形をした菓子を、今まで学んだことを生かしてぬっていきましょう。

ふきよせ

原寸大の絵を見ながら、様々な形や色の焼き菓子をぬっていきましょう。軽い食感を表現するためには、ごく薄くぬり重ねていくのがコツです。

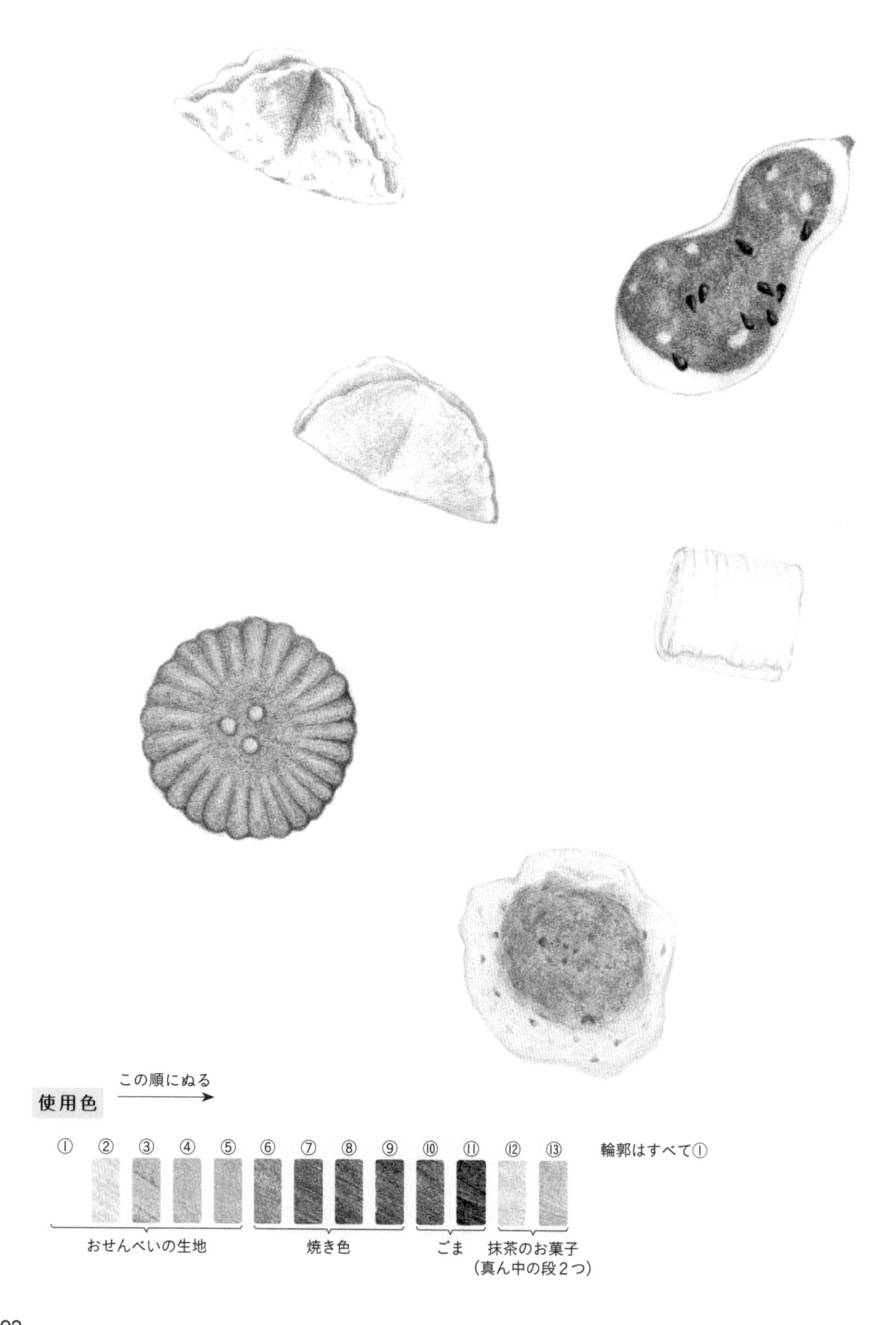

いろいろなあられやおせんべい

原寸大の絵を見ながら、のりとあられやおせんべいの質感の違い、カリカリの片口いわし、おせんべいの焼き色の微妙な加減などを表現しましょう。

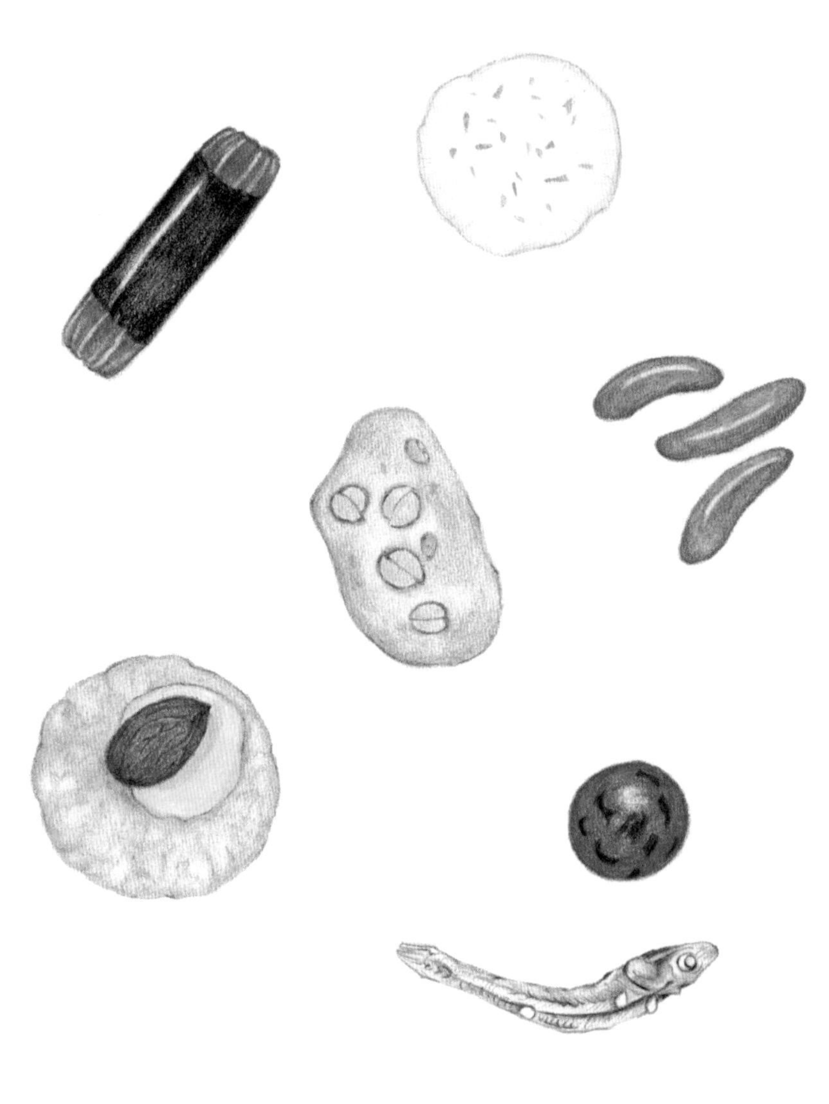

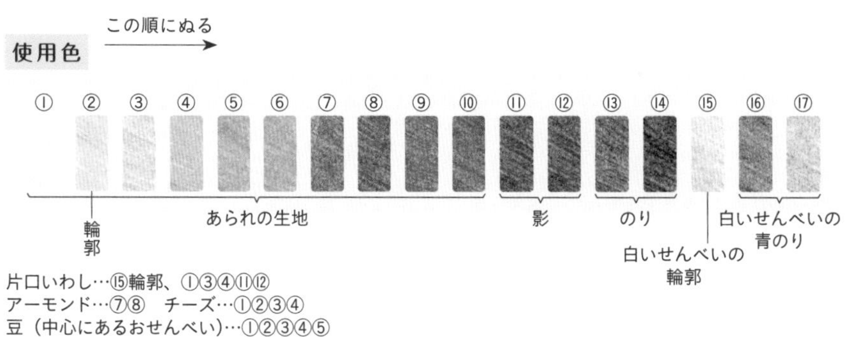

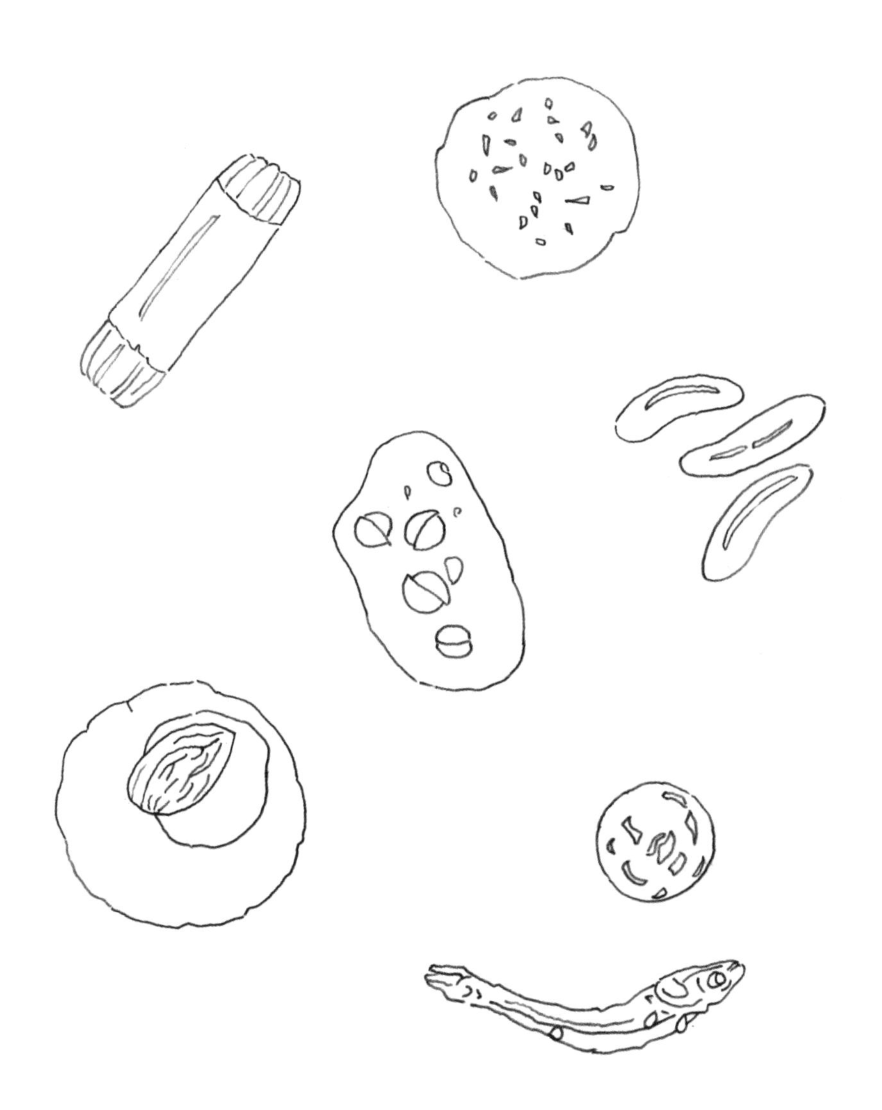

〈著者略歴〉
川崎由季恵（かわさき・ゆきえ）
4才より二人の画伯に学び、画材を玩具にして育つ。武蔵野美術大学卒業。テキスタイルメーカーの企画室を経て渡英後、ペーパーコラージュ造形作家となる。
女性誌での連載を皮切りに書籍の装画、テレビ局のホームページ、広告、企業カレンダー、CDジャケットなどのイラスト作品（ペーパーコラージュ）を数多く手がけている。
また、コラムやスタイリング、フラワーアレンジメントなど総合的に関わることも。
著書に『季節の立体切り紙』（PHP研究所）などがある。
https://yukiekawasaki.com

参考文献
『決定版　色の名前507』福田邦夫　主婦の友社
『定本　和の色事典』内田広由紀　視覚デザイン研究所

装幀　村田　隆（bluestone）
撮影　白岩貞昭
図案トレース・組版　朝日メディアインターナショナル株式会社

本物のような色鉛筆の美しいぬり絵

2020年9月24日　第1版第1刷発行
2022年8月9日　第1版第4刷発行

著　者　川崎由季恵
発行者　村上雅基
発行所　株式会社PHP研究所
京都本部　〒601-8411　京都市南区西九条北ノ内町11
〔内容のお問い合わせは〕教育出版部 ☎075-681-8732
〔購入のお問い合わせは〕普及グループ ☎075-681-8818
印刷所　図書印刷株式会社

ISBN978-4-569-84786-3